TOPAZE

MARCEL PAGNOL

TOPAZE

ÉDITION SCOLAIRE
préparée par

ARTHUR GIBBON BOVÉE
Officier d'Académie
University of Georgia

D. C. HEATH AND COMPANY
BOSTON

PREFACE

Topaze is generally regarded as one of the most outstanding
~~dr~~amatic productions since the First World War. Not only did
~~it~~ have a three-year run in Paris, but subsequently it was pro-
~~du~~ced in practically every country of the world. A film version
~~ha~~s been shown both in France and America. The coöperation
~~of~~ M. Eugène Fasquelle, the well-known French publisher,
~~ha~~s made it possible to offer the students of French in all
~~En~~glish-speaking countries a school edition of this play.

~~M~~arcel Pagnol (1895–   ), the author of *Topaze*, is a native
~~of~~ Marseilles, where he received his education. Though he
~~ta~~ught for a while in his native city, his extraordinary ability
~~so~~on won for him a place in the important Lycée Condorcet in
~~P~~aris. He devoted his leisure time to play writing. His first
~~pl~~ays, *Les Marchands de Gloire* and *Jazz*, were only qualified
~~su~~ccesses. In *Topaze* (1928), however, he built his intrigue
~~ar~~ound subjects of world-wide appeal such as political dishon-
~~es~~ty and the corrupting power of money. The success of
~~T~~*opaze* was immediate, decisive, and complete. There was a
~~n~~ew star in the dramatic firmament. Marcel Pagnol became at
~~on~~ce the idol of Paris and as such, produced in quick succession
~~tw~~o other *succès fous*, — *Marius* and *Fanny*. Since then M.
~~P~~agnol has devoted himself exclusively to the screen, both as an
~~au~~thor and a producer. His last screen play was *Merlusse*.

In preparing the play for the classroom, two things had to be
~~ta~~ken into consideration: suitability and vocabulary range.
~~S~~uitability, save in a few cases, was attained through the
~~p~~rocess of omission. The vocabulary range was fixed at 3069
~~of~~ the Vander Beke French Word List. It was felt that students
~~in~~ elementary college courses or in intermediate high school

classes should have the privilege of enjoying this semi-class
Hence, the 3069 range. Except for the necessary omissions, t
text has been left intact and words beyond the set range ha
been explained in footnotes. It is possible, therefore, to sta
with confidence that the variations from the original text a
at an absolute minimum.

Life and civilizations are constantly changing. Nor
languages stand still. The student of French is fortuna
therefore, to have this opportunity of reading real idioma
Parisian French of today. It is the editor's sincere hope th
students may enjoy to the full the delightful situations a
clever satire of this play which is worthy of the best traditio
of French satirical comedy.

With a view to a better assimilation of the subject matter
the student, various types of exercises have been added.
is left to the discretion of the teacher to use them as he or s
thinks best.

The editor wishes to make grateful acknowledgment
Professor Marcel Françon of Harvard University for his e
cellent and constructive criticism of the manuscript. He al
considers himself fortunate in having been able to secure fro
M. Gabriel Beunke, a commercial photographer of Paris,
number of "stills" from the French movie of *Topaze* which a
used as illustrations in this book. Finally, the editor wishes
express his gratitude to Mr. and Mrs. Joseph B. Creevy an
their charming family for their real interest and constant e
couragement during the two years that this rather exactir
project has been under way.

                                              A. G. B.

University of Chicago

TOPAZE

PERSONNAGES

TOPAZE, 30 ans, professeur à la pension Muche

MUCHE, le directeur, 48 ans

TAMISE, 40 ans, professeur à la pension Muche

PANICAULT, professeur à la pension Muche

LE RIBOUCHON, surveillant[1] à la pension Muche

UNE DIZAINE D'ENFANTS de 10 à 12 ans, élèves à la pension Muche

L'ÉLÈVE SÉGUÉDILLE

RÉGIS CASTEL-BÉNAC, conseiller municipal[2] d'une grande ville en France ou ailleurs

ROGER DE BERVILLE, 26 ans, jeune homme élégant

LE VÉNÉRABLE VIEILLARD

UN AGENT DE POLICE

UN MAÎTRE D'HÔTEL

SUZY COURTOIS, très jolie femme, complice et associée de Castel-Bénac

ERNESTINE MUCHE, 22 ans, fille du directeur

LA BARONNE PITART-VERGNIOLLES, 45 ans

PREMIÈRE DACTYLO[3]

DEUXIÈME DACTYLO

TROISIÈME DACTYLO

DÉCORS

PREMIER ACTE: *Une salle de classe à la pension Muche.*

DEUXIÈME ACTE: *Un petit salon chez Suzy Courtois.*

TROISIÈME ET QUATRIÈME ACTES: *Un bureau américain.*

L'action se passe de nos jours dans une grande ville.

[1] personne chargée de surveiller les élèves.   [2] *alderman.*   [3] *stenographer.*

TOPAZE

« La société, voyez-vous, monsieur, si elle continue,
elle tuera les justes. »

(Paroles d'un garçon coiffeur.)

ACTE PREMIER

Une salle de classe à la pension Muche.

Les murs sont tapissés de [1] cartes de géographie, de tableaux des poids et mesures, d'images antialcooliques (foie [2] d'un homme sain, foie alcoolique).

Au-dessus des tableaux, une frise [3] de papier crème, sur laquelle se détachent en grosses lettres diverses inscriptions morales: « Pauvreté n'est *pas* vice. »   « Il vaut bien mieux *souffrir* le mal que de le *faire.* »   « L'oisiveté [4] est la *mère* de *tous les vices.* »   « Bonne renommée vaut *mieux* que ceinture dorée. »   « *L'argent ne fait pas le bonheur.* »   Au plafond, deux réflecteurs de tôle émaillée [5] auréolent [6] des ampoules électriques.[7]

Au fond, entre une porte-fenêtre [8] et une armoire,[9] la chaire, sur une petite estrade [10] d'un pied de haut.

A travers les vitres de la porte-fenêtre, on voit passer de temps en temps des enfants qui jouent ou la silhouette minable [11] de M. Le Ribouchon qui surveille la récréation.

L'armoire est vitrée [12] et l'on voit à l'intérieur, sur des étagères,[13] une sorte de bric-à-brac, un perroquet empaillé,[14] divers bocaux [15] contenant des cadavres d'animaux ou d'insectes, un globe terrestre en carton.   Au-dessus de l'armoire, un écureuil empaillé.[16]

---

[1] *hung with.*   [2] *liver.*   [3] *frieze.*   [4] *idleness.*   [5] *enameled iron.*
[6] *surround with a halo.*   [7] *light bulbs.*   [8] *French window.*   [9] *cupboard.*   [10] *platform.*   [11] *shabby-looking.*   [12] *has glass doors.*
[13] *shelves.*   [14] *stuffed parrot.*   [15] *glass jars.*   [16] *stuffed squirrel.*

3

Devant la chaire, deux rangées [1] de bancs d'écolier, séparées par une allée.

Enfin, à droite, au tout premier plan,[2] une petite armoire.   A terre, à côté de l'armoire, un tas de livres en loques.[3]

SCÈNE PREMIÈRE

Quand le rideau se lève, M. TOPAZE fait faire une dictée à un élève.[4] M. Topaze a trente ans environ. Col en celluloïd, cravate misérable, souliers à boutons. L'Élève est un petit garçon de douze ans. Il tourne le dos au public. On voit ses oreilles décollées,[5] son cou d'oiseau mal nourri. Topaze dicte et, de temps à autre, se penche sur l'épaule du petit garçon pour lire ce qu'il écrit.

TOPAZE, *il dicte en se promenant.*   « Des . . . moutons . . . Des moutons . . . étaient en sûreté . . . dans un parc; dans un parc.   (*Il se penche sur l'épaule de l'Élève et reprend.*) Des moutons . . . mouton*ss* [6] . . . (*L'Élève le regarde, a-*
5 *huri.*[7])   Voyons, mon enfant, faites un effort.   Je dis *moutonsse.*   Étaient (*il reprend avec finesse*) *étai-eunnt.*[6] C'est-à-dire qu'il n'y avait pas qu'un *moutonne.*   Il y avait plusieurs *moutonsse.* »

(*L'Élève le regarde, perdu.*[8]   *A ce moment, par une porte*
10 *qui s'ouvre à droite au milieu du décor, entre Ernestine Muche.   C'est une jeune fille de vingt-deux ans, petite bourgeoise vêtue avec une élégance bon marché.   Elle porte une serviette* [9] *sous le bras.*)

SCÈNE II

L'ÉLÈVE, TOPAZE, ERNESTINE

ERNESTINE.   Bonjour, monsieur Topaze.
15   TOPAZE.   Bonjour, mademoiselle Muche.

---

[1] *two rows*, here at right angles with the teacher's desk.   [2] *down stage.*   [3] *in bad condition, falling to pieces.*   [4] *is having a pupil take . . .*   [5] *that stick out.*   [6] Il prononce les lettres muettes pour aider le petit garçon.   [7] *bewildered.*   [8] *dazed, lost.*   [9] *brief case.*

ERNESTINE. Vous n'avez pas vu mon père?

TOPAZE. Non, monsieur le directeur ne s'est point montré ce matin.

ERNESTINE. Quelle heure est-il donc?

TOPAZE, *il tire sa montre qui est énorme et presque sphérique.* Huit heures moins dix, mademoiselle. Le tambour[1] va rouler dans trente-cinq minutes exactement... Vous êtes bien en avance pour votre classe...

ERNESTINE. Tant mieux, car j'ai du travail. Voulez-vous me prêter votre encre rouge?

TOPAZE. Avec le plus grand plaisir, mademoiselle... Je viens tout justement d'acheter ce flacon, et je vais le déboucher[2] pour vous.

ERNESTINE. Vous êtes fort[3] aimable... (*Topaze quitte son livre et prend sur le bureau un petit flacon qu'il va déboucher avec la pointe d'un canif[4] pendant les répliques[5] suivantes.*)

TOPAZE. Vous allez corriger des devoirs?

ERNESTINE. Oui, et je n'aime pas beaucoup ce genre d'exercices...

TOPAZE. Pour moi, c'est curieux, j'ai toujours eu un penchant[6] naturel à corriger des devoirs... Au point que je me suis parfois surpris à rectifier l'orthographe[7] des affiches[8] dans les tramways ou sur les prospectus que des gens cachés au coin des rues vous mettent dans les mains à l'improviste[9]... (*Il a réussi à ôter le bouchon.[10]*) Voici, mademoiselle. (*Il tend le flacon à Ernestine.*) Et je vous prie de garder ce flacon aussi longtemps qu'il vous sera nécessaire.

ERNESTINE. Merci, monsieur Topaze.

---

[1] *drum.* [2] *uncork.* [3] **bien.** [4] *penknife.* [5] **réponses.** [6] *inclination.* [7] *spelling.* [8] *placards.* [9] *unexpectedly.* [10] *cork.*

TOPAZE. Tout à votre service, mademoiselle...

ERNESTINE, *elle allait sortir, elle s'arrête.* Tout à mon service ? C'est une phrase toute faite,[1] mais vous la dites bien !

5 TOPAZE. Je la dis de mon mieux et très sincèrement...

ERNESTINE. Il y a quinze jours, vous ne la disiez pas, mais vous étiez beaucoup plus aimable.

TOPAZE, *ému.* En quoi, mademoiselle ?

ERNESTINE. Vous m'apportiez des boîtes de craie de 10 couleur ou des calendriers perpétuels et vous veniez jusque dans ma classe corriger les devoirs de mes élèves... Aujourd'hui, vous ne m'offrez plus de m'aider...

TOPAZE. Vous aider ? Mais si j'avais sollicité cette faveur, me l'eussiez-vous [2] accordée ?

15 ERNESTINE. Je ne sais pas. Je dis seulement que vous ne l'avez pas sollicitée. (*Elle montre le flacon et elle dit assez sèchement.*) Merci tout de même... (*Elle fait mine de se retirer.*)

TOPAZE, *très ému.* Mademoiselle, permettez-moi...

20 ERNESTINE, *sèchement.* J'ai beaucoup de travail, monsieur Topaze... (*Elle va sortir. Topaze, très ému, la rejoint.*)

TOPAZE, *pathétique.* Mademoiselle Muche, mon cher collègue, je vous en supplie: ne me quittez pas sur un 25 malentendu [3] aussi complet.

ERNESTINE, *elle s'arrête.* Quel malentendu ?

TOPAZE. Il est exact que depuis plus d'une semaine je ne vous ai pas offert mes services; n'en cherchez point une autre cause que ma discrétion. Je craignais d'abuser

---

[1] *ready-made.* [2] Topaze est professeur, il emploie un style littéraire. Dans la conversation ordinaire on dirait « auriez ». [3] *misunderstanding.*

de votre complaisance [1] et je redoutais [2] un refus qui
m'eût [3] été d'autant plus pénible que le plaisir que je m'en
promettais était plus grand. Voilà toute la vérité.

ERNESTINE.   Ah? Vous présentez fort bien les
choses ... Vous êtes beau parleur, monsieur Topaze ... 5
(*Elle rit.*)

TOPAZE, *il fait un pas en avant.* Faites-moi la grâce
de me confier ces devoirs ...

ERNESTINE. Non, non, je ne veux pas vous imposer
une corvée [4] ...   10

TOPAZE, *lyrique.* N'appelez point une corvée ce qui
est une joie ... Faut-il vous le dire: quand je suis seul,
le soir, dans ma petite chambre, penché sur ces devoirs
que vous avez dictés, ces problèmes que vous avez choisis
et ces pièges orthographiques [5] si délicatement féminins, 15
il me semble ... (*Il hésite, puis, hardiment.*) que je suis
encore près de vous.

ERNESTINE. Monsieur Topaze, soyez correct, [6] je vous
prie.

TOPAZE, *avec ardeur.* Mademoiselle, je vous demande 20
pardon; mais considérez que ce débat s'est engagé de
telle sorte que vous ne pouvez plus me refuser cette faveur
sans me laisser sous le coup d'une impression pénible et
m'infliger un chagrin que je n'ai pas mérité.

ERNESTINE, *après un petit temps.* Allons, je veux bien 25
céder encore une fois ... (*Elle ouvre sa serviette [7] et en tire
plusieurs liasses [8] de devoirs, l'une après l'autre.*)

TOPAZE *les prend avec joie.   A chaque liasse, il répète
avec ferveur.* Merci, merci, merci, merci, merci ...

---

[1] *kindness, indulgence.*   [2] **je craignais beaucoup.**   [3] *Cf. page 6,*
note 2.   [4] **travail pénible.**   [5] *catches in spelling;* **piège** = *trap.*
[6] **comme il faut.**   [7] *brief case, portfolio.*   [8] *packages.*

ERNESTINE. Il me les faut pour demain matin.

TOPAZE. Vous les aurez.

ERNESTINE. Et surtout, ne mettez pas trop d'annotations dans les marges [1]... Si l'un de ces devoirs tombait
sous les yeux de mon père, il reconnaîtrait votre écriture
au premier coup d'œil.

TOPAZE, *inquiet et charmé.* Et vous croyez que M. le
directeur en serait fâché?

ERNESTINE. M. le directeur ferait de violents reproches
à sa fille.

TOPAZE. J'ai une petite émotion quand je pense que
nous faisons ensemble quelque chose de défendu.

ERNESTINE. Ah! taisez-vous...

TOPAZE. Nous avons un secret... C'est délicieux
d'avoir un secret. Une sorte de complicité...

ERNESTINE. Si vous employez de pareils termes, je
vais vous demander de me rendre mes devoirs.

TOPAZE. N'en faites rien, mademoiselle, je serais capable de vous désobéir... Vous les aurez demain matin.

ERNESTINE. Soit. Demain matin, à 8 heures et demie... Au revoir et pas un mot.

TOPAZE, *mystérieux.* Pas un mot. (*Ernestine sort par là
où elle était venue. Topaze, resté seul, rit de plaisir et lisse* [2]
sa barbe. Il met les liasses de devoirs dans son tiroir. [3]
Enfin, il reprend son livre et revient vers l'Élève.) Allons,
revenons à nos *moutonsse.* [4] (*A ce moment la porte-fenêtre* [5]
s'ouvre et M. Muche paraît.)

---

[1] *notes in the margin.* [2] *strokes.* [3] *drawer.* [4] *But to return to
our subject.* Justement tout à l'heure il s'agissait de moutons.
[5] *French window.*

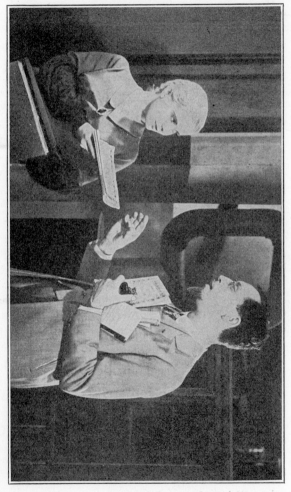

NE METTEZ PAS TROP D'ANNOTATIONS DANS LES MARGES.

Scène III

Topaze, Muche

M. Muche est un gros homme de quarante-huit ans. Il a le teint
frais, la nuque [2] épaisse. Courte barbe en pointe très soignée. Une
grosse bague [3] au doigt. Chaîne de montre éclatante. Col cassé.
Costume neuf marron [4] clair. Il paraît sévère et plein d'autorité.
Topaze le salue avec respect.

Topaze, *empressé, mais sans servilité.* Bonjour, monsieur le directeur . . .

Muche. Bonjour, monsieur Topaze. Je désire vous
dire deux mots.

5   Topaze. Bien, monsieur le directeur. (*A l'Élève.*)
Mon enfant, vous pouvez aller jouer.

L'Élève. Merci, m'sieu.[5] (*Il ferme son cahier et sort.*)

Muche, *après un petit temps.* Monsieur Topaze, je
suis surpris.

10   Topaze. De quoi, monsieur le directeur ?

Muche. Vous me forcez à vous rappeler l'article 2
du règlement de la pension Muche: « Les professeurs qui
donneront des leçons particulières dans leur classe seront
tenus de verser à la direction dix pour cent du prix de ces
15 leçons. » Or, vous m'aviez caché que vous donniez des
leçons à cet élève.

Topaze. Monsieur le directeur, ce ne sont pas de véritables leçons.

Muche, *sévère.* Je crains que vous ne jouiez sur les
20 mots.

Topaze. Non, monsieur le directeur. Ce sont de petites leçons gratuites.

----

[1] *complexion.*   [2] *nape of the neck.*   [3] *ring.*   [4] *chestnut-colored.*
[5] Observez la chute de la syllabe faible.

Muche, *stupéfait et choqué.* Gratuites ?

Topaze. Oui, monsieur le directeur.

Muche, *au comble de la stupeur.* Des leçons *gratuites* ?

Topaze, *sur le ton de quelqu'un qui se justifie.* Cet
enfant est très laborieux, mais il avait peine à suivre la   5
classe, car personne ne semble s'être occupé de lui jusqu'ici.
Sa famille, si toutefois il en a une . . .

Muche, *choqué.* Comment, s'il en a une ? Croyez-vous
que cet enfant soit né par une génération spontanée ?

Topaze *rit de ce trait d'esprit.* Oh ! non, monsieur le   10
directeur.

Muche. Si ses parents avaient jugé nécessaire de lui
faire [1] donner des leçons, ils seraient venus m'en parler.
Quant à donner des leçons *gratuites*, je ne sais pas si vous
vous rendez compte de la portée d'une pareille initiative.   15
Si vous donnez des leçons *gratuites*, personne désormais
ne voudra payer; vous aurez ainsi privé de pain tous vos
collègues, qui ne peuvent s'offrir le luxe de travailler pour
rien. Si vous êtes un nabab [2]. . .

Topaze. Oh ! n'en croyez rien, monsieur le directeur.   20

Muche. Enfin cela vous regarde.[3] Mais votre générosité ne saurait [4] vous dispenser de payer la taxe de 10 %.
Ce que j'en dis, d'ailleurs, n'est pas pour une misérable
question d'argent, mais c'est par respect pour le règlement
qui doit être aussi parfaitement immuable [5] qu'une loi de   25
la nature.

Topaze. Je le comprends fort bien, monsieur le directeur.

Muche. Parfait. (*Il montre le petit animal empaillé* [6]
sur le bureau.) Quel est cet animal ?   30

---

[1] *have.*   [2] *nabob.*   [3] *c'est votre affaire.*   [4] *peut.*   [5] *unchangeable.*
stuffed.

TOPAZE. C'est un putois,[1] monsieur le directeur. m'appartient, mais je l'ai apporté pour illustrer une leço sur les ravageurs de la basse-cour.[2]

MUCHE. Bien. (*Il va près de la petite bibliothèque* 5 *regarde le tas de livres en loques [3] qui est à terre.*) Qu'est-que c'est que ça ?

TOPAZE. C'est la bibliothèque de fantaisie,[4] monsie le directeur. Je suis en train de faire, à mes momen perdus, un récolement [5] général.

10 MUCHE, *sévère*. Un ouvrage aurait-il disparu ? [6]

TOPAZE. Non, monsieur le directeur... Je suis heu reux de vous dire que non.

MUCHE. Bien. (*Il va sortir. Topaze le rappelle timide ment.*)

15 TOPAZE. Monsieur le directeur ! (*Muche se retourne.* Je crois que je vais réussir à faire entrer ici un nouvel élève

MUCHE, *indifférent*. Ah ?

TOPAZE. Oui, monsieur le directeur. Et je me permet de vous faire remarquer que c'est le septième.

20 MUCHE. Le septième quoi ?

TOPAZE. Le septième élève que j'ai recruté, cette anné pour notre maison.

MUCHE. Vous avez donc rendu un très grand servic à sept familles.

25 TOPAZE. Eh oui, au fait. C'est exact.

MUCHE. D'ailleurs, nous n'avons plus de place et j ne sais pas du tout s'il me sera possible d'accueillir votr petit protégé. Le simple bon sens vous dira que la pensio Muche n'est pas dilatable [7] à l'infini. Nos murs ne son 30 pas en caoutchouc.[8]

---

[1] skunk. [2] barnyard. [3] in tatters. [4] classroom library. [5] check
[6] **Est-il possible qu'un livre ait disparu ?** [7] can't be expanded. [8] rubber

TOPAZE, *stupéfait*. Tiens ! Et moi qui croyais que nous avions moins d'élèves que l'année dernière !

MUCHE. Monsieur Topaze, apprenez qu'avant-hier j'ai dû refuser le propre fils d'un grand personnage de la République.   5

TOPAZE. Ah ! c'est fâcheux, monsieur le directeur... Parce que je suis moralement engagé avec cette famille !

MUCHE. Il est imprudent de promettre une faveur quand on n'est point maître de la dispenser. (*Un petit temps.*) Comment s'appelle cet enfant ?   10

TOPAZE. Roger Courtois.

MUCHE. Je regrette qu'il ne soit point noble. Une particule[1] eût[2] influé sur ma décision. Au moins, est-ce un sujet d'élite ?

TOPAZE. Peut-être... Je lui ai donné des leçons   15 pendant un mois, chez sa tante, car ses parents sont au Maroc[3]... Il m'a semblé trouver chez lui une certaine agilité d'esprit, une aptitude à saisir les nuances...

MUCHE. Bien, bien, mais la famille acceptera-t-elle nos conditions ? Huit cents francs par mois, un trimestre[4]   20 d'avance ?[5]

TOPAZE. Cela va sans dire ![6]

MUCHE. L'élève suivra-t-il les cours supplémentaires ?

TOPAZE. Probablement.

MUCHE. Escrime,[7] modelage,[8] chant choral ?   25

TOPAZE. Sans aucun doute.

MUCHE. Cent vingt francs par mois ?

TOPAZE. Je le suppose.

---

[1] La préposition « de » qui précède certains noms de famille, est un signe de noblesse.   [2] **aurait.**   [3] *Morocco*, pays de l'Afrique du Nord sous le protectorat de la France.   [4] **trois mois.**   [5] Ce prix est excessivement cher.   [6] **Bien entendu !**   [7] *fencing.*   [8] *clay modeling.*

MUCHE.   Danse, aquarelle,[1] espéranto, deux cent
francs ?

TOPAZE.   La famille en comprendra la nécessité.

MUCHE.   Avez-vous dit que nous étions forcés d'ajoute
5 au prix de la pension divers autres suppléments ?

TOPAZE.   Lesquels, monsieur le directeur ?

MUCHE, *automatiquement*.   Fournitures [2] de plume
et buvards [3]: six francs.   Autorisation de boire au robi
net [4] d'eau potable [5]: cinq francs.   Bibliothèque d
10 fantaisie: vingt francs.   Forfait [6] de trente francs pou
les petites dégradations [7] du matériel, telles que tache
d'encre, noms gravés sur les pupitres ... Enfin six franc
par mois pour l'assurance contre les accidents propremen
scolaires.   Vous pensez que toutes ces conditions seron
15 acceptées ?

TOPAZE.   J'en suis persuadé.

MUCHE, *un temps de réflexion*.   C'est donc un sujet d'élite
et je me sens tenu de faire un effort en sa faveur.   Et
d'autre part, puisque vous avez eu l'imprudence de vous
20 engager, il faut bien que je vous tire de ce mauvais pas.

TOPAZE.   Je vous en remercie, monsieur le directeur

MUCHE.   Dites à cette dame que chaque jour perdu est
gros de conséquence [8] pour cet enfant.   Je l'attends le
plus tôt possible.

25 TOPAZE.   Elle doit venir aujourd'hui même.

MUCHE.   Bien.   J'espère, monsieur Topaze, que je
n'oblige pas un ingrat et qu'un zèle redoublé de votre
part me témoignera votre reconnaissance.

TOPAZE.   Vous pouvez y compter absolument, mon-
30 sieur le directeur.

---

[1] *water colors.*   [2] *supplying.*   [3] *blotters.*   [4] *faucet.*   [5] *drinking.*
[6] *forfeit.*   [7] *damage.*   [8] *is of the greatest importance.*

MUCHE. Bien. (*Il se tourne et va sortir. Mais il se ravise*[1] *et se retourne vers Topaze.*) Ah! voici le dossier[2] que vous m'aviez remis pour les palmes académiques.[3] (*Il fouille dans la chemise*[4] *qu'il porte à la main depuis le début de la scène.*) Et j'ai le plaisir de vous dire... (*Il cherche toujours.*[5]) le plaisir de vous dire... (*Topaze attend, illuminé.*) que M. l'inspecteur d'académie[6] m'a parlé de vous dans les termes les plus flatteurs.

TOPAZE, *au comble de la joie.* Vraiment?

MUCHE. Il m'a dit: « M. Topaze mérite dix fois les palmes! »

TOPAZE. Dix fois!

MUCHE. « Mérite dix fois les palmes, et j'ai eu presque honte quand j'ai appris qu'il ne les avait pas encore. »

TOPAZE, *il rougit de joie.* Oh! je suis confus, monsieur le directeur!

MUCHE. « D'autant plus, a-t-il ajouté, que je ne puis pas les lui donner cette année! »

TOPAZE, *consterné.* Ah! Il ne peut pas!

MUCHE. Hé non! Il a dû distribuer tous les rubans dont il disposait à des maîtres plus anciens[7] que vous... Tenez, reprenez votre dossier. Ses dernières paroles ont été: « Dites bien à M. Topaze que, pour cette année, je lui décerne les palmes moralement. »

TOPAZE. Moralement?

MUCHE, *qui sort.* Moralement. C'est peut-être encore plus beau! (*Il sort. Topaze reste un instant songeur, puis il retourne à la bibliothèque de fantaisie classer ses volumes.*)

---

[1] il change d'avis. [2] file, documents. [3] décoration accordée par le gouvernement français aux artistes, aux savants et aux professeurs pour reconnaître le mérite. [4] folder. [5] Il continue à chercher. [6] school inspector. [7] professeurs depuis plus longtemps.

Scène IV

Topaze, Tamise

Entre Tamise. Il a visiblement le même tailleur que Topaze. M...
sa barbe est carrée et il est plus petit. Serviette sous le bras, pa...
pluie.[1]

TAMISE. Bonjour, mon vieux.

TOPAZE. Tiens! bonjour, Tamise.

TAMISE. Ça ne va pas?

TOPAZE. Mais ça va très bien, au contraire! Figur...
5 toi que M. l'inspecteur d'académie a déclaré à M. Much...
parlant à sa personne, qu'il me décernait les palmes acad...
miques moralement.

TAMISE, *soupçonneux*. Moralement? Qu'est-ce qu...
ça veut dire?

10 TOPAZE. Ça veut dire qu'il m'en juge digne et il...
chargé le patron de m'annoncer, en propres termes,[2] qu...
je les ai moralement.

TAMISE. Oui, ça doit te faire tout de même plaisi...
mais enfin tu ne les as pas.

15 TOPAZE. Oh! évidemment, si on regarde les choses d...
près, je ne les ai pas.

TAMISE. Et si tu veux que je te dise, ça ne m'étonn...
qu'à demi.

TOPAZE. Pourquoi?

20 TAMISE. Quand tu t'es fait inscrire parmi les post...
lants,[3] je n'ai pas voulu formuler un avis que tu ne me d...
mandais pas. Mais je n'ai pu m'empêcher de penser qu...
tu t'y prenais un peu tôt. Regarde, moi, j'ai huit ans d...
plus que toi. Est-ce que j'ai demandé quelque chose...
25 Non. J'attends.

---

[1] *umbrella.* [2] *in so many words.* [3] *applicants.*

TopazE. Mon cher, qui ne demande rien n'a rien.

TamisE. Mais qui obtient trop tôt peut avoir l'air d'un arriviste.[1]

TopazE. Ah ! Tu me crois arriviste ?

TamisE. Non, non, j'ai dit peut avoir l'air ! (*La porte* 5 *s'ouvre. Entre Panicault.*)

Scène V

Topaze, Panicault, Tamise

Panicault est très grand, le dos voûté par les ans. Il a largement [2] dépassé la soixantaine. Il a les dents vertes et marche la pointe des pieds retroussée.[3] Son chapeau de paille [4] a des bords gondolés.[5] Il roule entre ses vieux doigts une cigarette fripée,[6] un parapluie verdâtre [7] pendu au bras.

PanicaulT. Bonjour, mes chers collègues. (*Il serre la main à Tamise.*)

TopazE. Bonjour, monsieur Panicault.

PanicaulT. Je viens de trouver votre petit mot chez 10 le concierge, et me voici à votre service. De quoi s'agit-il ? [8]

TopazE. Mon cher collègue, vous êtes notre doyen [9] et votre classe est un modèle de discipline. Voilà pourquoi, dans un cas difficile, j'ai eu l'idée de vous demander con- 15 seil.

PanicaulT. Très flatté. (*Il s'assoit sur le dossier* [10] *d'un banc et tire de sa poche une énorme boîte d'allumettes soufrées* [11] *pour allumer sa cigarette.*) Je vous écoute.

TamisE, *il fait mine de se retirer.* Je suis de trop ?   20

---

[1] *climber.*   [2] *considerably.*   [3] *turned up.*   [4] *straw.*   [5] *warped.*
[6] *crumpled.*   [7] *greenish.*   [8] **De quoi est-il question ?**   [9] *dean.*
[10] *back.*   [11] *sulphur matches.*

TOPAZE. Au contraire, tu vas, toi aussi, profiter de la leçon. (*A Panicault.*) Figurez-vous qu'un de mes élèves — et j'ignore lequel — fait jouer pendant mes classes une sorte de boîte à musique qui n'émet que trois
5 notes: ding! ding! dong!

PANICAULT. Bon.

TAMISE. Ah! les lascars![1]

PANICAULT. Et qu'avez-vous fait?

TOPAZE. J'ai tout essayé. Allusion, dans mes cours de
10 morale, à la grave responsabilité de l'enfant qui gêne le travail de ses camarades; objurgations[2] directes au délinquant inconnu, promesses d'amnistie[3] complète s'il se dénonce; surveillance presque policière de ceux que je soupçonne: résultat nul.[4] Et je suis sûr que je vais en-
15 tendre, tout à l'heure encore, ces trois notes ironiques qui détruisent mon autorité et galvaudent[5] mon prestige. Que faut-il faire?

TAMISE. Le cas est épineux.[6]

PANICAULT. Oh! pas du tout! La musique c'est cou-
20 rant[7]... Tantôt, ce sont des becs de plume[8] plantés dans un pupitre; d'autres fois, c'est un élastique tendu qu'on pince avec le doigt; j'ai même vu une petite trompette. Eh bien, moi, chaque fois que j'entends ça, je mets Duhamel à la porte.

25 TAMISE. Mais comment faites-vous pour savoir que c'est lui?

PANICAULT. Oh! je ne dis pas que c'est toujours lui qui fait la musique; mais c'est toujours lui que je punis.

TOPAZE. Mais pourquoi?

---

[1] les petits diables! [2] reproches violents. [3] *pardon.* [4] *nothing.*
[5] ruinent. [6] *difficult,* lit., 'thorny.' [7] *an everyday affair.* [8] *pen points.*

PANICAULT. Parce qu'il a une tête à ça.[1]

TOPAZE. Voyons, mon cher collègue, vous plaisantez ?

PANICAULT. Pas le moins du monde.

TAMISE. Alors, vous avez choisi un bouc émissaire,[2] un pauvre enfant qui paie pour tous les autres ? 5

PANICAULT, *choqué.* Ah ! Permettez ! Duhamel, c'est pour la musique seulement. En cas de boules puantes,[3] je punis le jeune Trambouze. Quand ils ont bouché le tuyau du poêle avec un chiffon,[4] c'est Jusserand qui passe à la porte. Et si je trouve un jour de la colle [5] sur ma chaise, 10 ce sera tant pis pour les frères Gisher !

TOPAZE. Mais c'est un véritable système !

PANICAULT. Parfaitement. Chacun sa responsabilité. Et ça n'est pas si injuste que ça peut en avoir l'air; parce que, voyez-vous, un élève qui a une tête à boucher [6] 15 le tuyau du poêle, il est absolument certain qu'il le bouchera et, neuf fois sur dix, c'est lui qui l'aura bouché !

TOPAZE. Mais la dixième fois ?

PANICAULT, *avec noblesse.* Erreur judiciaire qui renforce mon autorité. Quand on doit diriger des enfants 20 ou des hommes, il faut de temps en temps commettre une belle injustice, bien nette, bien criante: c'est ça qui leur en impose le plus !

TOPAZE. Mais avez-vous songé à l'amertume de l'enfant innocent et puni ? 25

PANICAULT. Eh oui, j'y songe. Mais quoi ! Ça le prépare pour la vie !

TOPAZE. Mais ne croyez-vous pas qu'une petite enquête peut démasquer [7] les coupables ?

---

[1] il a l'air d'une personne qui ferait une telle chose. [2] scapegoat. [3] stink balls. [4] stopped up the stovepipe with a rag. [5] glue. [6] to stop up. [7] découvrir.

PANICAULT. Les coupables, il vaut mieux les choisi
que les chercher.

TAMISE, *sarcastique*. Et les choisir à cause de leur tête

TOPAZE. Ce sont des procédés de Borgia,[1] simplement

5 PANICAULT. Eh bien, dites donc, et la vie, est-ce qu'ell
ne fait pas comme ça ? Tout ce qui nous arrive, c'es
toujours à cause de notre tête. Et nous ne serions pas ic
tous les trois si nous n'étions pas venus au monde avec ce
trois pauvres têtes de pions.[2] (*Topaze tousse*[3] *et se lisse*
10 *la barbe*.) Tenez, je vais vous raconter une petite histoire
lorsque j'ai passé mon brevet,[5] en 1876 ...

LA VOIX

Panicault ! Oh ! Panicault !
Tu l'as mangé l'haricot ?[6]

PANICAULT. Ne bougez pas ! Continuons à parler, i
15 doit nous écouter. En voilà un qui va se faire pincer
(*Il s'avance vers la porte à reculons,*[7] *avec lenteur.*) Il es
évident que le brevet élémentaire est un examen pé-
rimé[8] ...

LA VOIX, *implorante.*

Tu l'as mangé, l'haricot ?

20 PANICAULT, *il continue sa manœuvre.* On devrait alléger[9] les programmes ! (*A voix basse.*) Parlez donc !

TAMISE. Mais certainement, certainement !

---

[1] Lucrezia Borgia, who was accused of every kind of crime.   [2] *with*
(*the appearance of*) *three poor devils of monitors*, ranking lowest in the
academic scale and always subject to ridicule.   [3] *coughs.*   [4] *strokes.*
[5] diplôme lui permettant d'enseigner.   [6] *a bean.* On dit de préférence « le haricot ».   [7] *backwards.*   [8] *out-of-date.*   [9] *lighten.*

LA VOIX

Panicault ! Oh ! Panicault !
Tu l'as mangé, l'haricot !

PANICAULT, *fiévreux, à voix basse.*   Parlez ! parlez !

TOPAZE.   Oui, pour le brevet élémentaire, on devrait 5
certainement alléger l'haricot... C'est-à-dire les programmes.

PANICAULT.   Il est à quatre pattes devant la porte...
Je vois le haut de son derrière de scélérat ![1]...

TAMISE.   C'est d'ailleurs exactement la même chose
pour le brevet supérieur. 10

LA VOIX, *vengeresse.*[2]

Tu l'as mangé, l'haricot !
Tu l'as mangé, l'haricot !
Tu l'as mangé, l'haricot !
Tu l'as mangé, l'hari...

(*Panicault qui est enfin arrivé à la porte l'a ouvert brusque-* 15
ment. Il se rue sur[3] *un grand pendard*[4] *qu'il relève et*
saisit par le bras.)

PANICAULT, *enthousiaste.*   Chez le directeur !   Chez le
directeur !

LE PENDARD, *hurlant.*   C'est pas moi ![5]   C'est pas moi ! 20

PANICAULT.   Chez le directeur !   Chez le directeur !
(*Il l'emporte en le secouant avec une fureur triomphale.*)

---

[1] *his scoundrelly rear.*   [2] *avenging(ly).*   [3] *rushes at.*   [4] *rascal.*
[5] Dans la conversation la suppression du « ne » négatif se fait de
plus en plus.   C'est la chute d'une syllabe faible.

Scène VI

Topaze, Tamise

TAMISE. Il sema l'injustice, il récolte[1] l'injure.

TOPAZE. C'est logique. Ma méthode est peut-être
moins efficace que la sienne, mais du moins aucun de mes
élèves ne m'a jamais demandé si j'avais mangé l'hari-
5 cot . . .

TAMISE. Évidemment. Et d'ailleurs, pour ton musicien, moi, je vais te donner un plan pour le prendre sur le
fait. La première fois que tu entendras la sérénade,
reste impassible,[2] continue ton cours comme si tu n'en-
10 tendais rien, laisse-le s'exciter tout seul. Et, petit à petit,
tu te rapproches de la source du bruit *à reculons*. Et
quand tu seras à peu près sûr, tu te retournes brusquement, tu sors le bonhomme de son banc et tu glisses la
main dans le pupitre. Je te garantis que tu trouveras
15 l'instrument, aussi sûr que je m'appelle Tamise.

TOPAZE. Ce plan me paraît très habile. Je ne vois
qu'une objection, c'est que ta manœuvre comporte une
feinte,[3] une sorte de comédie préalable[4] qui n'est peut-
être pas absolument loyale.

20 TAMISE. Le musicien qui t'exaspère depuis quinze
jours n'est pas lui-même très loyal.

TOPAZE. Oui, mais c'est un enfant . . . (*Tamise hausse
les épaules avec indulgence. La porte de gauche s'ouvre.
Entre Ernestine Muche.*)

---

[1] *reaps.*   [2] *composed, unmoved.*   [3] *dissimulation, pretence.*   [4] *pre-
liminary.*

SCÈNE VII

LES MÊMES, ERNESTINE

ERNESTINE. Bonjour, messieurs...

TAMISE, *il salue avec respect.* Mademoiselle...

ERNESTINE. Monsieur Topaze, voulez-vous me prêter
a mappemonde ? [1]

TOPAZE. Avec le plus grand plaisir, mademoiselle... 5
*Il va ouvrir un petit meuble noir qui contient les cartes et
n tire une mappemonde Vidal-Lablache. Il l'offre galam-
ent à Ernestine.*)

TAMISE. Vous avez ce matin une classe de géographie ?

ERNESTINE. Oui, une leçon sur la répartition [2] des 10
ontinents et des mers.

TOPAZE. Voici, mademoiselle...

ERNESTINE. Je vous remercie, monsieur Topaze. (*Elle
ourit, elle sort. Topaze lui ouvre la porte.*)

TAMISE. Mon cher, je te demande pardon... Si je 15
'avais pas été là, elle serait peut-être restée... Il me
emble que ça marche assez fort ?

TOPAZE. Et tu ne sais pas tout ! (*Confidentiel.*) Tout
l'heure, elle m'a positivement relancé.[3]

TAMISE, *étonné et ravi.* Ah ! bah ?   20

TOPAZE. Elle m'a reproché ma froideur, tout simple-
ent.

TAMISE, *même jeu.* Ah ! bah ?

TOPAZE. Elle n'a pas dit « froideur », bien en-
endu [4]... Mais elle me l'a fait comprendre, avec toute 25
a pudeur [5] de jeune fille. Et j'ai obtenu qu'elle me confie
ncore une fois les devoirs de ses élèves.

---

[1] *map of the world.*   [2] *distribution.*   [3] *hunted me up.*   [4] **natu-
ellement.**   [5] *modesty.*

TAMISE.   Elle a accepté ?

TOPAZE.   Les voici.   (*Il désigne les liasses de devoirs.*
Les voici.

TAMISE.   Et alors, tu n'as pu faire autrement que lu
5 avouer ta flamme ?

TOPAZE.   Non.   Non.   Oh ! je lui en ai dit de raides,
mais je ne suis pas allé jusqu'à l'aveu.

TAMISE.   Non ?

TOPAZE.   Non.

10 TAMISE.   Eh bien, je ne sais pas si tu t'en rends compte
tu es timide et niais.[2]

TOPAZE.   Mais non, mais non ... Considère qu'il s'agi
de la main d'Ernestine Muche ...

TAMISE, *pensif.*   C'est vrai.   C'est un gros coup ..
15 Tu as visé haut, Topaze.

TOPAZE.   Et si je réussis, beaucoup de gens, peut-être
diront que j'ai visé trop haut.

TAMISE.   Évidemment ... On pourra croire que tu a
profité de ton physique pour mettre la main sur la pension
20 Muche ...

TOPAZE.   C'est vrai, ça.

TAMISE, *un petit temps de réflexion, puis brusquement*
Et, après tout, il faut être ambitieux ... A la premièr
occasion, le grand jeu.[3]

25 TOPAZE.   Le grand jeu.   Qu'entends-tu[4] par le gran
jeu ?

TAMISE.   Tu prépares le terrain par des regards signi
ficatifs.   Tu sais, les yeux presque fermés ... le regar
filtrant[5] ...   (*Il rejette légèrement la tête en arrière et ferm
30 les yeux à demi pour donner un exemple du regard « filtrant ».*

---

[1] *I made it pretty strong.*   [2] *a simpleton.*   [3] *play it strong.*   [4] **com
prends-tu.**   [5] *soulful.*

TOPAZE.   Tu crois que c'est bon ?

TAMISE.   Si tu le réussis, c'est épatant.[1]   Ensuite, tu approches d'elle, tu adoucis ta voix, et vas-y.

TOPAZE.   Vas-y ... Mais comment y va-t-on ?

TAMISE.   Un peu d'émotion, un peu de poésie et une demande en bonne et due forme.   Si tu vois qu'elle hésite, sois hardi.   (*Il fait le geste de prendre une femme dans ses bras.*)   Un baiser.

TOPAZE.   Un baiser !   Mais que dira-t-elle ?

TAMISE.   Il se pourrait qu'elle se pâmât[2] soudain en murmurant: « Topaze ... Topaze. »

TOPAZE.   Ça, ce serait formidable, mais je n'ose pas espérer.

TAMISE.   On ne sait jamais.   Ou alors, il se pourrait que la pudeur[3] lui inspirât une petite réaction, par exemple, elle te repoussera, elle te dira: « Que faites-vous là, monsieur ? »   Mais ça n'a aucune importance.   Tant qu'elle n'appelle pas: « Au secours ! », ça veut dire: « Oui. »

TOPAZE, *après un temps*.   Comment, le baiser ?   Sur le front ?

TAMISE.   Malheureux !   Un baiser sur *la bouche !*

TOPAZE.   Sur la bouche[4]... Tu as fait ça, toi ?

TAMISE, *gaillard*.   Parbleu !

TOPAZE, *décidé*.   J'essaierai ... Ce qui m'inquiète davantage, c'est le père.

---

[1] *wonderful, marvelous.*   [2] *would faint, would swoon.*   [3] *modesty.*
Pour comprendre l'étonnement de Topaze, il faut savoir qu'en France, on s'embrasse d'habitude sur la joue sauf quand il s'agit d'amour.   Si Mlle Muche se laisse embrasser sur la bouche, cela voudra dire qu'elle aime Topaze au point de vouloir bien se marier avec lui.

TAMISE. Ah ! . . . le père, ce n'est certainement pas
même manœuvre.

TOPAZE. Je suis sûr qu'il m'estime et qu'il me sa
parfaitement honnête [1]. . . Mais un refus de sa part m
5 ferait tellement de peine que . . . Je crois qu'il faudra
le sonder [2] . . .

TAMISE. Toi, je te vois venir [3]: tu veux que je m'e
charge !

TOPAZE. Je n'osais pas te le demander.

10 TAMISE. Entendu. A la première occasion.

TOPAZE. Fais ça discrètement, qu'il ne se doute de rier

TAMISE. Oh ! tu me connais. Je m'approcherai de l
question à pas de loup. [4]

TOPAZE. Le moment me paraît favorable, car ce mati
15 même je lui ai annoncé l'arrivée d'un nouvel élève.

TAMISE. Où l'as-tu déniché ? [5]

TOPAZE. C'est un enfant à qui je donnais des leçor
en ville et j'ai conseillé à la famille de le mettre ici.

TAMISE. Eh ! gros malin ! Tu as fait plaisir au patro
20 mais tu risques de perdre tes leçons !

TOPAZE. Je ne tiens pas à les conserver.

TAMISE. Mal payées ?

TOPAZE. Au contraire. Mais c'est toute une histoir
Figure-toi que cet enfant habite chez une jeune femme qu
25 est sa tante. Toute jeune. Ni mariée, ni divorcée,
veuve. [6]

TAMISE, *perplexe.* Alors, qu'est-ce qu'elle est ?

TOPAZE. Je la crois orpheline. Mais fort riche . .
Le premier jour, elle m'a reçu dans un boudoir des *Mil*

---

[1] un homme comme il faut, loyal, incapable de faire une cho
basse. [2] *to sound him out.* [3] *I see what you are after.* [4] *stealthil*
[5] **l'as-tu découvert.** [6] *a widow.*

t une Nuits.[1]   Des étoffes de soie, des tableaux anciens, es coussins par terre.   Le tapis était épais, souple, et vec ça — ça a l'air d'une blague![2] il dépasse sous la orte jusqu'au bas des escaliers.

TAMISE, *petit sifflement.*[3]   Mon Dieu ... ça suppose de 5 a fortune.

TOPAZE.   Oh!... tu penses!   Presque tous les jours, près ma leçon, un monsieur fort distingué — et qui doit tre un domestique, quoiqu'il soit toujours en habit — me onduisait dans ce boudoir et la jeune femme m'interro- 10 eait sur les progrès de l'enfant... Eh bien, mon cher, 'est peut-être à cause du décor ou du parfum qu'elle épand, mais, chaque fois que je lui ai parlé, je n'ai jamais u savoir ce que je lui avais dit...

TAMISE, *ton de blâme navré.*[4] — Oh!... Oh!... Tu 15 'es pas mondain[5] pour un sou.

TOPAZE.   J'aurais bien voulu t'y voir.   Elle s'asseyait ur un coussin, elle avait des bas de la plus fine soie et de etits souliers précieux... En peau de gant, ou en peau e serpent, et même une fois en or... 20

TAMISE, *décisif.*   Vu[6]: c'est une chanteuse.

TOPAZE, *violent.*   Allons donc.   Ne juge pas aussi bru- alement une personne que tu n'as jamais vue.   C'est une emme du monde, et du grand monde... J'ai rencontré lusieurs fois chez elle un monsieur qui a dû être un ami 25 e son père et qui porte la rosette de la Légion d'hon- eur[7]... Et alors, voilà ce que j'ai pensé... (*A ce* *noment, on voit par la fenêtre un grand mouvement dans la*

---

[1] i.e. très luxueux.   [2] *joke.*   [3] *whistle.*   [4] *terribly grieved.*   [5] *a* *an of the world.*   [6] *after due consideration.*   [7] ordre de la Légion 'honneur institué le 19 mars 1802 par le premier consul Bonaparte our reconnaître les services militaires et civils.   Ruban rouge.

cour. M. Le Ribouchon passe, affolé. On le voit reven.
presque immédiatement. Il précède, son chapeau à la mai
une femme extrêmement élégante. Topaze donne tous le
signes de la plus vive émotion.) Mon Dieu, mon Dieu
5 la voilà ... C'est elle ... Va-t'en ... C'est elle ... (*L*
porte s'ouvre. M. Le Ribouchon se penche, se penche et d
d'une voix de vieille femme.)

LE RIBOUCHON. Monsieur Topaze, une dame désir
vous parler ... (*Il se tourne vers la dame qui le suit.*) L
10 voici, madame ... (*Il s'efface pour laisser entrer la dam*
et referme la porte. Tamise se retire dans sa classe.)

SCÈNE VIII

SUZY, TOPAZE

C'est Mlle Suzy Courtois qui vient d'entrer. Elle a vingt-cinq an
elle est très jolie et vêtue avec une grande élégance. Petit chapea
de feutre,[1] un vison [2] splendide sur une robe très moderne. Ell
s'avance en souriant vers Topaze qui s'efforce de faire bonne col
tenance.[3]

SUZY. Bonjour, monsieur Topaze ...

TOPAZE. Bonjour, mademoiselle.

SUZY. J'ai voulu visiter la pension Muche avant d
15 voir le directeur ... Et je crois que j'ai bien fait ...

TOPAZE. Mais certainement, mademoiselle, sans aucu
doute possible, mademoiselle. Et si vous voulez bien m
le permettre, je vais vous précéder jusqu'au bureau d
M. Muche qui sera charmé de vous voir.

20 SUZY. Ici, c'est votre classe ?

TOPAZE. Oui, mademoiselle.

SUZY. Où sont les autres cours de récréation ?

---

[1] *felt.*   [2] *mink.*   [3] *to appear at ease.*

Topaze, *étonné*. Les autres cours?

Suzy. J'imagine que ces enfants peuvent aller jouer ans une sorte de jardin?

Topaze. Non, mademoiselle, non. Je comprends que ette cour peut vous paraître petite, mais elle est en réalité 5 grandie par un règlement adroit.[1] M. Muche a remarqué u'un élève qui court occupe beaucoup plus de place qu'un ève immobile. Il a donc interdit tous les jeux qui exigent es déplacements [2] rapides, et la cour s'en est trouvée grandie... 10

Suzy. C'est en partant du même principe que l'on rrive à faire tenir dans un tout petit bocal [3] un grand ombre d'anchois [4]... (*Topaze sourit faiblement.*) Ces ortes, tout autour, ce sont les classes?

Topaze. Oui, mademoiselle, il y en a six, comme vous 15 oyez.

Suzy. Eh bien, mon cher monsieur Topaze, la pension Muche n'est pas du tout ce que je m'imaginais...

Topaze. Ah! oui? souvent on imagine les choses d'une açon, et puis la réalité est tout autre. 20

Suzy. Oui, tout autre...

Topaze. Vous pensiez peut-être que ma classe serait lus petite ou que nous avions encore l'éclairage au gaz? [5]

Suzy. Non. Je pensais que la pension Muche se com-osait d'autre chose que cinq ou six caves autour d'un 25 uits.[6]

Topaze. Ah? En somme, votre impression serait lutôt défavorable?

Suzy. Nettement.

Topaze, *consterné*. Ah! Nettement! Fort bien! 30

---

[1] *clever.*   [2] *change of place.*   [3] *crowding into a very small glass* owl.   [4] *anchovies.*   [5] *gaslight.*   [6] *a well.*

Suzy. Je sais que vous êtes un excellent professeur,
mais ce que je vois de la pension Muche m'ôte l'envie d'y
enfermer un enfant.

Topaze. Tant pis, tant pis, mademoiselle.

5 Suzy. J'espère que cette décision ne vous blesse pas.

Topaze. C'est un petit contretemps,[1] rien de plus . .
Je dis contretemps, parce que j'avais déjà parlé à M.
Muche de la brillante recrue que je me flattais de lui
amener. Il croira certainement que j'avais parlé à la lé-

10 gère.[2]

Suzy. Dans ce cas, j'irai le voir moi-même et je lui
expliquerai la chose de façon à dégager entièrement votre
responsabilité.

Topaze. Vous êtes trop bonne, mademoiselle.

15 Suzy. Quant à Gaston, vous viendrez désormais lui
donner chaque jour deux heures de leçon.

Topaze. Deux heures? C'est malheureusement impossible. Mon emploi du temps[3] ne m'en laisse pas le
loisir.

20 Suzy. Eh bien, dans ce cas, vous viendrez une heure,
comme par le passé.

Scène IX

Les mêmes, Muche

Muche, *souriant, la bouche enfarinée,*[4] *paraît. Il
s'efforce de paraître homme du monde.* Monsieur Topaze,
faites-moi, je vous prie, la grâce de me présenter.

25 Topaze. J'ai l'honneur, mademoiselle, de vous pré-

---

[1] déception, *disappointment.* [2] sans réfléchir. [3] *program.* [4] *with
a sort of ridiculous confidence and self-sufficiency.*

enter M. le directeur. (*A Muche.*) Mlle Courtois,
dont je vous parlais tout à l'heure.

MUCHE. Mademoiselle, je suis profondément honoré...

SUZY. Je suis charmée, monsieur... M. Topaze vous
parlé d'un projet... 5

MUCHE. Mais oui, mademoiselle...

SUZY. Qui n'est encore qu'un projet... J'ai un ne-
eu...

MUCHE, *automatiquement*. Charmant enfant.

SUZY. Vous le connaissez? 10

MUCHE. Pas encore, mais mon excellent collaborateur
m'en a dit le plus grand bien.

SUZY. Sur le conseil de M. Topaze, j'ai songé à vous
e confier.

MUCHE. C'est une heureuse idée, mademoiselle... 15
Cet enfant, en qui je devine un sujet d'élite, ne peut
manquer de s'épanouir tout naturellement entre nos
mains. Nous avons une grande habitude de ces jeunes
intelligences qui sont comme des fleurs en bouton [1] et qu'il
faut déplier [2] feuille à feuille sans les froisser [3] ni les dé- 20
former.

SUZY. J'en suis certaine. Cependant, je dois vous
dire que ma résolution n'est pas encore définitive. L'enfant est d'une santé fragile et je voudrais d'abord consulter
un médecin pour savoir s'il pourra supporter les fatigues 25
de l'internat.[4]

MUCHE. Mademoiselle, permettez-moi de vous dire que
nous avons pour ainsi dire la spécialité des enfants ma-
ingres [5] et que tous [6] repartent d'ici avec de bonnes joues
et des membres revigorés. 30

---

[1] *budding flowers.*   [2] *open, unfold.*   [3] *bruising, rumpling.*
boarding-school life.   [5] *sickly.*   [6] [tus].

SUZY. En somme, vous diriez presque que la pensi‹
Muche est un sanatorium ?

MUCHE. Je n'irai pas jusque là, mademoiselle, ma
je ne doute pas que votre neveu, en moins d'un an, ‹
5 gagne ici autant de vigueur que de science.

SUZY. Je ne suis pas loin de le croire... Et je su
toute disposée à en faire l'expérience si toutefois le médeci
le permet.

MUCHE. Mademoiselle, quelle que soit la décision qu
10 vous prendrez, je serai toujours reconnaissant à M. T‹
paze qui m'a fourni l'occasion de vous être présenté.

SUZY. Vous avez là le plus précieux des collaborateur
monsieur.

MUCHE. Oh ! je le sais, mademoiselle, et il n'ignore pa
15 lui-même qu'il a mon estime et mon amitié.

SUZY. Il mérite certainement les deux. Au revoi
monsieur Topaze. Je vous attends donc ce soir, à
heures, pour la leçon de Gaston.

TOPAZE. C'est entendu, mademoiselle.

20 MUCHE, *il ouvre la porte, laisse passer Suzy et la su*
tout en parlant. Si vous voulez me permettre, mademo
selle, de vous précéder jusque dans mon bureau, je pourra
vous montrer les brillants résultats obtenus par nos élève
aux différents examens et vous donner un aperçu [1] de n‹
25 méthodes pédagogiques [2] qui sont parmi les plus moderne
et les plus...

SCÈNE X

TOPAZE, *resté seul, réfléchit quelques secondes. Il mur*
mure. Ça va s'arranger... Ça va probablement s'ar
ranger...

[1] *general idea.*   [2] *teaching.*

Scène XI

Topaze, Ernestine

Ernestine entre par la porte de gauche. Elle rapporte le flacon d'encre rouge.

ERNESTINE. Eh bien, cher collègue, vous en[1] recevez des belles dames!

TOPAZE, *rougissant.* Cette personne est un parent d'élève. C'est-à-dire que son neveu...

ERNESTINE. C'est-à-dire que je comprends pourquoi 5 vous m'avez négligée depuis quelque temps!

TOPAZE, *très ému.* Mademoiselle!

ERNESTINE. Vous portiez vos calendriers perpétuels à d'autres! Tenez, voilà votre encre. Je vous la rends, quoique cette dame ne me paraisse guère en avoir be- 10 soin.

TOPAZE. Mademoiselle, je vous en supplie, ne vous fâchez pas!

ERNESTINE. Monsieur Topaze, je ne me fâche pas; je viens au contraire vous demander un grand service. 15

TOPAZE. Je tiens à vous dire que je suis à votre entière disposition.

ERNESTINE. Nous allons voir. (*Elle se rapproche.*) Figurez-vous que je prends des leçons de chant.

TOPAZE. Ah! je suis sûr que vous avez une très jolie 20 voix!

ERNESTINE. Oui, très jolie. Je vais chez mon professeur le jeudi matin, de 10 heures à midi. Mais mon père ne sait pas que je prends ces leçons. C'est un petit secret entre ma mère et moi. 25

[1] Refers to "des belles dames." It is redundant but is used colloquially for emphasis.

TOPAZE, *attendri.* Je vous remercie de cette confidence ... C'est un petit secret de plus entre nous.

ERNESTINE. Exactement. Or, M. le directeur vient
de décider que le service d'été commencera jeudi prochain.
5 Ça ne vous dit rien ?

TOPAZE. Ça me dit beaucoup, naturellement. Beaucoup. Mais, dans le détail, je ne vois pas exactement quoi.

ERNESTINE. Eh bien, il va falloir que, le jeudi matin,
j'emmène à la promenade tous les élèves de la classe enfan-
10 tine. De 10 à 12.

TOPAZE. De 10 à 12. (*Frappé d'une idée.*) Ah ! mais
alors, vous voilà forcée de renoncer à vos leçons de chant !

ERNESTINE. Sans aucun doute.

TOPAZE. Mais c'est navrant ! [1] Il est évident que vous
15 ne pouvez être à la même heure en deux endroits différents !

ERNESTINE. Comprenez-vous quel service je veux vous
demander ?

TOPAZE. Parfaitement. Vous voulez que j'expose la
20 situation à M. Muche et qu'il change l'heure de la promenade ?

ERNESTINE. Pas du tout. Je veux que vous conduisiez
la promenade à ma place.

TOPAZE. Mais oui ! (*Joyeux.*) Et moi qui n'ai juste-
25 ment rien à faire le jeudi matin !

ERNESTINE. Parfait. Je vais donc dire à mon père
que vous demandez à conduire la promenade, parce que,
comme vous ne sortez jamais, ça vous donnera l'occasion
de prendre l'air.

30 TOPAZE. Excellent ! O ruse féminine ! (*Il se rapproche
d'elle. Avec émotion.*) Mademoiselle Muche ... c'est avec

---

[1] **désolant,** *really too bad.*

une joie profonde que je mènerai ces enfants à la promenade, parce que je ... parce que je vous aime. (*Il fait
le regard filtrant.*)

ERNESTINE. Monsieur Topaze, je vous en prie ...

TOPAZE, *il se rapproche. Son regard est de plus en plus* 5
filtrant. Je vous aime ... Non pas d'une passion perverse et déshonorante ... mais d'un amour honnête et
profond, pour tout dire, conjugal. (*Il s'est encore rapproché.
Elle a peine à retenir son envie de rire. Il la prend brusquement dans ses bras.*) Laissez-moi vous dire ... (*Il l'em-* 10
brasse. Elle le repousse vigoureusement et le gifle.[1])

ERNESTINE. Monsieur Topaze, à quoi pensez-vous ?
Est-ce ainsi qu'on s'adresse à une jeune fille ? Tâchez de
ne pas recommencer cette plaisanterie, je vous prie. Et
n'oubliez pas que jeudi vous faites la promenade à ma 15
place. (*Elle sort.*)

TOPAZE. Elle a la petite réaction prévue ... Divine
pudeur.[2] Mais elle n'a pas appelé au secours, je crois que
ça y est ! (*Il se frotte la joue et répète.*) Divine pudeur !

(*Un terrible roulement de tambour est répercuté[3] par les* 20
*quatre murs de la cour. On voit à travers la porte-fenêtre
des enfants qui se mettent en rang devant la classe. Topaze
va leur ouvrir la porte. Mais ils n'entrent pas. Ils attendent
son ordre. Il dit: « Allez ! » Toute la classe, qui se compose
d'une douzaine de gamins[4] de dix à douze ans, entre. Ils* 25
sont deux par deux.)

---

[1] slaps.   [2] modesty.   [3] rolling of a drum reverberates.   [4] boys,
kids, urchins.

Scène XII

Topaze, Les Élèves

Les enfants vont à leur place où ils restent debout, les bras croisés, à côté de leur banc. Topaze, debout sur l'estrade,[1] attend que cette manœuvre soit terminée. Alors, il frappe dans ses mains. Tous les enfants s'assoient. Quelques-uns bavardent.[2] Topaze, immobile, surveille tout ce mouvement d'un air sévère.

Topaze, *voix autoritaire.* Monsieur Cordier, vous croyez-vous sur une place publique ? (*M. Cordier, douze ans, baisse le nez vers son cahier.*) Monsieur Jusserand, aujourd'hui encore vous avez négligé d'arracher la feuille
5 quotidienne... (*Il montre le calendrier.*) Je vous retire donc le calendrier.[3]

L'élève Jusserand, *désolé.* Ben[4] vrai !

Topaze, *sévèrement.* Silence, monsieur ! (*Puis avec une bienveillance épanouie.*[5]) Monsieur Blondet, vos notes
10 de cette semaine sont excellentes, je vous confie le calendrier. Dépouillez-le donc aussitôt de cette feuille périmée.[6]

L'élève Blondet. Merci, m'sieur ! (*Il va arracher la feuille qu'il jette dans le panier à papiers. Cependant,*
15 *Topaze est allé s'asseoir à sa chaire. Il tire de sa poche le formidable oignon[7] et le pose devant lui. Il ouvre ses tiroirs[8] et en sort divers accessoires: carnets de notes,[9] porte-plume, un petit chiffon[10] pour éclaircir[11] ses lunettes, un essuie-plumes,[12] etc. On voit sous la chaire, entre le bas*

---

[1] *platform.*　[2] **parlent entre eux.**　[3] C'était à Jusserand de s'occuper du calendrier. Topaze vient de lui ôter cet honneur.　[4] forme populaire de « bien ».　[5] *beaming kindliness.*　[6] *out-of-date.*　[7] *onion,* i.e. sa montre.　[8] *table drawers.*　[9] *classbooks.*　[10] *rag.*　[11] *clean,* lit., 'clear up.'　[12] *penwiper.*

'un pantalon luisant et des bottines à boutons,[1] ses chaus-
ettes [2] de coton blanc. Un silence.)

TOPAZE, solennel. Demain matin, de 8 h. 30 à 9 h. 30,
omposition de morale. Inscrivez, je vous prie, la date de
e concours sur vos cahiers de texte individuels. (Remue- 5
ménage.[3] On ouvre des cahiers. Topaze se lève, va au ta-
leau, prend la craie et écrit en grosses lettres: « mercredi 17
vril. » A ce moment, au dernier banc, avec des chuchote-
ments [4] irrités, deux élèves échangent quelques horions.[5]
Topaze, au tableau, sans tourner la tête.) Monsieur Ker- 10
guézec, je n'ai pas besoin de tourner la tête pour savoir que
c'est vous qui troublez la classe . . . (Il écrit sur la deuxième
ligne: « Composition de morale ». A ce moment, l'élève
Séguédille, assis au fond à droite, accomplit l'exploit qu'il
préparait depuis son entrée. Avec un fil de caoutchouc,[6] 15
il lance un morceau de papier roulé qui va frapper le tableau
à côté de Topaze. Le professeur se retourne brusquement.
Les yeux fermés, la barbe hérissée,[7] il tend un index menaçant
vers la gauche de la classe et crie.) Kerguézec ! A la
porte . . . Je vous ai vu. (Silence de mort. L'élève Sé- 20
guédille, la tête baissée, rigole [8] doucement.) Kerguézec,
inutile de vous cacher. Je vous ordonne de sortir.
(Silence.) Où est Kerguézec ?

L'ÉLÈVE CORDIER, il se lève, timidement. M'sieur, il
est absent depuis trois jours . . . 25

TOPAZE, démonté.[9] Ah ! il est absent ? Eh bien, soit,
il est absent. Quant à vous, monsieur Cordier, je vous
conseille de ne pas faire la forte tête.[10] Allons, écrivez.

---

[1] buttoned shoes. [2] socks. [3] commotion, stirring. [4] whispers.
[5] blows. [6] rubber band. [7] bristling. [8] giggles. [9] nonplussed,
upset. [10] act smart; se dit aussi de quelqu'un qui n'obéit jamais,
d'une personne têtue (stubborn).

(*Un silence, Topaze est allé se rasseoir à sa chaire. Et commence sa leçon.*) Pour nous préparer à la compositio de morale qui aura lieu (*Il montre l'inscription au tableau.* demain mercredi, nous allons faire aujourd'hui, oralement
5 une sorte de revision générale. Toutefois, avant de com mencer cette revision, je veux parler à l'un d'entre vous, celui qui depuis quelques jours trouble nos classes par un musique inopportune. Je le prie, pour la dernière fois, d ne point recommencer aujourd'hui sa petite plaisanteri
10 que je lui pardonne bien volontiers. Je suis sûr qu'il a compris et que je n'aurai pas fait appel en vain à son sen moral. (*Un très court silence. Puis la musique commence plus ironique que jamais. Topaze rougit de colère, mais s contient.*) Bien: désormais, j'ai les mains libres. (*U*
15 *silence.*) Travaillons. (*Un court silence.*) Je vous pré viens tout de suite. La question que vous aurez à traite demain et qui décidera de votre rang ne sera pas une question particulière et limitée comme le serait une ques tion sur la patrie, le civisme,[1] les devoirs envers les parent
20 ou les animaux. Non. Ce sera plutôt, si j'ose dire, une question fondamentale sur les notions de bien et de mal ou sur le vice ou la vertu. Pour vous préparer à cette épreuve, nous allons nous pencher sur les mœurs des peuples civilisés et nous allons voir ensemble quelles son
25 les nécessités *vitales* qui nous forcent à obéir à la loi *morale* même si notre esprit n'était pas *naturellement porté à l* *respecter.* (*On entend chanter la musique. Topaze ne bronche*[2] *pas.*) Prenons des exemples dans la réalité quotidienne. Voyons. (*Il cherche un nom sur son car-*
30 *net.*[3]) Élève Tronche-Bobine. (*L'élève Tronche-Bobine*

---

[1] *civic duties.*   [2] *move a muscle, flinch.*   [3] *teacher's classbook.*

*e lève, il est emmitouflé de cache-nez [1]: il a des bas à grosses
ôtes et un sweater de laine sous sa blouse.*) Pour réussir dans
a vie, c'est-à-dire pour y occuper une situation qui corres-
*p*onde à votre mérite, que faut-il faire?

L'ÉLÈVE TRONCHE *réfléchit fortement.* Il faut faire
*a*ttention.

TOPAZE. Si vous voulez. Il faut faire... attention
a quoi?

L'ÉLÈVE TRONCHE, *décisif.* Aux courants d'air. (*Toute
a classe rit.*)

TOPAZE, *il frappe à petits coups rapides sur son bureau
*p*our rétablir le silence.* Élève Tronche, ce que vous dites
n'est pas entièrement absurde, puisque vous répétez un
*c*onseil que vous a donné madame votre mère, mais vous
*n*e touchez pas au fond même de la question. Pour réus-
*s*ir dans la vie, il faut être... Il faut être?... (*L'élève
*T*ronche sue [2] horriblement. Plusieurs élèves lèvent le doigt
*p*our répondre en disant: « M'sieu... M'sieu...» To-
*p*aze repousse ces avances.*) Laissez répondre celui que
l'interroge. Élève Tronche, votre dernière note fut un
*z*éro. Essayez de l'améliorer [3]... Il faut être ho...
*h*o... (*Toute la classe attend la réponse de l'élève Tronche.
*T*opaze se penche vers lui.*)

L'ÉLÈVE TRONCHE, *perdu.* Horrible! (*Éclat de rire
*g*énéral accompagné d'une ritournelle [4] de boîte à musique.*)

TOPAZE, *découragé.* Zéro, asseyez-vous. (*Il inscrit
*l*e zéro.*) Il faut être *honnête.* Et nous allons vous en
*d*onner quelques exemples décisifs. D'abord toute entre-
*p*rise malhonnête est vouée [5] par avance à un échec
*c*ertain. (*Musique. Topaze ne bronche pas.*) Chaque jour,

---

[1] *wrapped up in a muffler.*   [2] *perspires.*   [3] *improve.*   [4] *flourish.*
[5] *destined.*

nous voyons dans les journaux que l'on ne brave point
impunément [1] les lois humaines. Tantôt, c'est le crime
horrible d'un fou qui égorge [2] l'un de ses semblables pour
s'approprier le contenu d'un portefeuille; d'autres fois
5 c'est un homme alerte qui, muni d'une grande prudence
et d'outils [3] spéciaux, ouvre illégalement un coffre-fort [4]
pour y dérober des titres de rente; tantôt, enfin, c'est un
caissier [5] qui a perdu l'argent de son patron en l'engageant
à tort sur le résultat futur d'une course de chevaux. (*Avec*
10 *force.*) Tous ces malheureux sont aussitôt arrêtés et
traînés par les gendarmes aux pieds de leurs juges. De
là, ils seront emmenés dans une prison. Ces exemples
prouvent que le mal reçoit une punition immédiate et que
s'écarter du droit chemin, c'est tomber dans un gouffre [6]
15 sans fond. (*Musique.*) Supposons maintenant que par
extraordinaire un malhonnête homme . . . ait réussi à
s'enrichir. Représentons-nous cet homme, jouissant d'un
luxe mal gagné. Il est admirablement vêtu, il habite à
lui seul plusieurs étages. Deux laquais [7] veillent sur lui.
20 Il a de plus une servante qui ne fait que la cuisine et un
domestique spécialiste pour conduire son automobile. Cet
homme a-t-il des amis? (*L'élève Cordier lève le doigt.*
Topaze lui fait signe. Il se lève.)

L'ÉLÈVE CORDIER. Oui, il a des amis.

25 TOPAZE, *ironique.* Ah? vous croyez qu'il a des amis?

L'ÉLÈVE CORDIER. Oui, il a beaucoup d'amis.

TOPAZE. Et pourquoi aurait-il des amis?

L'ÉLÈVE CORDIER. Pour monter dans son automobile.

TOPAZE, *avec feu.* Non, monsieur Cordier . . . Des
30 gens pareils . . . s'il en existait, ne seraient que de vils

---

[1] *does not defy with impunity.*   [2] *cuts the throat of.*   [3] *tools.*   [4] *safe.*
[5] *cashier.*   [6] *abyss.*   [7] *footmen, flunkeys.*

urtisans [1]... L'homme dont nous parlons n'a point
amis. Ceux qui l'ont connu jadis savent que sa fortune
'est point légitime. On le fuit comme un pestiféré.[2]
lors, que fait-il ?

L'ÉLÈVE DURANT-VICTOR. Il déménage.[3]   5

TOPAZE. Peut-être. Mais qu'arrivera-t-il dans sa
ouvelle résidence ?

L'ÉLÈVE DURANT-VICTOR. Ça s'arrangera.

TOPAZE. Non, monsieur Durant-Victor, ça ne peut
as s'arranger, parce que, quoi qu'il fasse, où qu'il aille, 10
lui manquera toujours l'approbation de sa cons... de
 cons... (*Il cherche des yeux l'élève qui va répondre.
'élève Pitart-Vergniolles lève le doigt.*)

L'ÉLÈVE PITART-VERGNIOLLES. De sa concierge. (*Ex-
losion de rires.*)   15

TOPAZE, *grave.* Monsieur Pitart-Vergniolles, j'aime à
roire que cette réponse saugrenue [4] n'était point prémé-
itée. Mais vous pourriez réfléchir avant de parler. Vous
ussiez [5] ainsi évité un zéro qui porte à votre moyenne un
oup sensible. (*Il inscrit le zéro fatal.*) Ce malhonnête 20
omme n'aura jamais l'approbation de sa *conscience.*
lors, tourmenté jour et nuit, pâle, amaigri,[6] exténué,[7]
our retrouver enfin la paix et la joie, il distribuera aux
auvres toute sa fortune parce qu'il aura compris que...
Pendant ces derniers mots, Topaze a pris derrière lui un 25
*ng bambou et il montre, du bout de celui-ci, l'une des
aximes sur le mur.*)

TOUTE LA CLASSE *en chœur, d'une voix chantante.* Bien
al acquis ne profite jamais...

TOPAZE. Bien. Et que... (*Il montre une autre maxime.*) 30

---

[1] *vile flatterers.*   [2] *plague-stricken man.*   [3] *moves.*   [4] **absurde.**
« auriez » en français courant.   [6] *emaciated.*   [7] *weakened.*

L'ÉLÈVE PITART-VERGNIOLLES LÈVE LE DOIGT.

TOUTE LA CLASSE, *même jeu.* L'argent ne fait pas le
bonheur . . .

TOPAZE.   Parfait.   Voyons maintenant le sort de
l'honnête homme.   Élève Séguédille, voulez-vous me dire
quel est l'état d'esprit de l'honnête homme après une 5
journée de travail ?

L'ÉLÈVE SÉGUÉDILLE.   Il est fatigué.

TOPAZE.   Vous avez donc oublié ce que nous avons dit
vingt fois dans cette classe.   Le travail est-il fatigant ?

L'ÉLÈVE BERTIN, *il se lève les bras croisés et récite d'un* 10
trait.   Le travail ne fatigue personne.   Ce qui fatigue,
c'est l'oisiveté,[1] mère de tous les vices.

TOPAZE.   Parfait !   Monsieur Bertin, je vous donne un
dix.[2]   Si cet honnête homme est caissier, même dans une
grande banque, il rendra ses comptes avec une minutie 15
scrupuleuse[3] et son patron charmé l'augmentera tous les
mois.   (*A ce moment, la musique commence à vibrer frénéti-*
quement.   Topaze se lève.)   S'il est commerçant, il repoussera les bénéfices exagérés ou illicites[4]; il en sera
récompensé par l'estime de tous ceux qui le connaissent et 20
dont la confiance fera prospérer ses affaires.   (*Topaze se*
approche peu à peu de l'élève Séguédille.)   Si une guerre
éclate, il ira s'engager dans l'armée de son pays et s'il a
la chance d'être gravement blessé, le gouvernement
l'enrichira d'une décoration qui le désignera à l'admiration 25
de ses concitoyens.[5]   Tous les enfants le salueront sans le
connaître, et, sur son passage, les vieillards diront entre
eux: « Passez à la porte, immédiatement ! »   (*Topaze*
s'est brusquement retourné et s'est précipité sur l'élève Sé-
guédille.)   30

---

[1] *idleness.*   [2] la plus haute note.   [3] *scrupulous exactitude.*   [4] *illicit.*
[5] *fellow citizens.*

L'ÉLÈVE SÉGUÉDILLE, *terrorisé.* C'est pas moi ... c'es
pas moi ...

TOPAZE, *triomphant.* Ah! ce n'est pas vous! Sorte
de votre banc; sortez! (*Il le tire hors du banc et il pass*
5 *sa main sous le pupitre et en tire un moulinet à musique.*[1]
Ha ... ha ... voici l'instrument. (*Il le fait sonner.*
Monsieur Séguédille, votre affaire est claire ... Vou
preniez donc ma bonté pour de la faiblesse? (*Silence.*
Ma patience pour de l'aveuglement? Ha, ha, monsieu
10 Séguédille, sachez que le gant de velours cache une mai
de fer ... (*Il brandit sa main, les doigts écartés.*) Et s
vous avez le mauvais esprit,[2] je vous briserai ... (*M. Sé*
guédille, tremblant, se prépare à sortir.) Où allez-vous

L'ÉLÈVE SÉGUÉDILLE. A la porte.

15 TOPAZE, *il le regarde un instant.* Eh bien, non. Reste
ici. (*Il le met au piquet*[3] *près de la bibliothèque.*) Sou
les yeux de vos camarades qui vous jugent sévèrement
(*Éclat de rire général. Topaze frappe sur son bureau*
Silence.) A la fin de la classe, je statuerai sur[4] votr
20 sort. Jusque là, je vous condamne à *l'incertitude* ..
(*Un temps.*) Après cet incident pénible, revenons à no
travaux ... Nous disions donc ...

(*La porte s'ouvre. Tous les élèves se lèvent, les bras croisés*
Entre M. Muche qui précède la baronne Pitart-Vergniolles
25 *Elle a quarante ans depuis cinq ans et de la moustache. M*
Topaze se lève, s'avance vers M. Muche et salue profondé
ment la baronne.)

---

[1] sort of a music box with a handle.   [2] *an evil nature.*   [3] *standing*
back to the class.   [4] **déciderai.**

Scène XIII

Topaze, Muche, La Baronne

Muche. Monsieur Topaze, Mme la baronne Pitart-Vergniolles désire vous parler.

Topaze. Monsieur le directeur, je suis à votre entière disposition quoique ma leçon ne soit point terminée... et il serait peut-être préférable, dans l'intérêt des élèves... 5

Muche. La matière ne souffre point de retard. (*Il se tourne vers les élèves qui sont restés debout.*) Mes enfants, vous pouvez aller jouer. (*A Topaze.*) J'ai prévenu M. Le Ribouchon qui les surveillera... (*Les élèves sortent. L'un d'eux se détache des rangs et vient embrasser la Baronne.* 10 *C'est le jeune Pitart-Vergniolles. Muche, souriant.*) Le charmant enfant...

La Baronne, *à Topaze.* Je viens vous demander, monsieur Topaze, ce que vous pensez du travail de mon fils Agénor... 15

Topaze. Madame, je suis très heureux de vous le dire, mais je préférerais que cet enfant n'entendît [1] pas notre conversation.

Muche, *à la Baronne.* Excellent principe... Allez rejoindre vos camarades... (*La Baronne embrasse l'en-* 20 *fant qui sort.*) Enfant sympathique et bien élevé.

La Baronne, *à Topaze.* Il vous aime beaucoup, monsieur. Il parle souvent de vous à son père en des termes qui marquent une grande estime.

[1] Dans la conversation ordinaire, on ne se sert pas du passé du subjonctif, mais M. Topaze est professeur. C'est pour cela qu'il se permet d'employer cette forme qui ne se trouve d'ordinaire que dans la littérature.

TOPAZE. J'en suis très heureux, madame... Je tien
à mériter l'estime de mes élèves...

MUCHE. Vous l'avez, mon cher Topaze... Je dira
même que vous savez gagner leur affection. (*Topaze s*
5 *rengorge*[1] *et sourit.*)

LA BARONNE. L'enfant vous apprécie à tel point qu'
a exigé que je vienne vous demander des leçons particu
lières...

MUCHE, *à Topaze.* Tout à votre louange.[2]

10 TOPAZE. J'en suis très flatté, madame...

LA BARONNE. Il en a eu envie comme d'une friandise
ou d'un jouet[4]... C'est charmant, n'est-ce pas? J
viens donc vous dire, monsieur, que vous lui donnere
chaque semaine autant d'heures que vous voudrez, et a
15 prix que vous fixerez...

MUCHE. Hé, hé... très significatif...

LA BARONNE. Quand on a la chance de rencontrer u
maître de cette valeur, le mieux que l'on puisse faire, c'es
de s'en remettre à lui entièrement...

20 TOPAZE. Madame, j'en suis confus...

LA BARONNE. Et de quoi seriez-vous confus? D'être
la perle des professeurs?

TOPAZE. Oh! madame...

LA BARONNE. C'est donc entendu. Vous viendrez
25 chez moi demain soir et vous me mettrez au courant de ce
que vous aurez décidé pour le nombre et le prix des leçons

TOPAZE. C'est entendu, madame. Je vais vous dire,
d'ailleurs, tout de suite quelles sont mes heures de liberté... (*Il feuillette un petit carnet.*[5])

30 LA BARONNE. Demain, demain... Permettez-moi

[1] *raises his head with pride.*　　[2] *Quite flattering;* **louange** = *praise.*
[3] *a sweet.*　　[4] *a toy.*　　[5] *pocket notebook.*

maintenant de vous parler d'une affaire qui me tient
cœur ...

MUCHE.   Oh ! une bagatelle[1] qui sera promptement
rectifiée ...

TOPAZE.   De quoi s'agit-il, madame ?   5

LA BARONNE, *elle tire de son sac une enveloppe.* Je viens
de recevoir les notes trimestrielles[2] de mon fils et je n'ai
pas osé montrer ce bulletin à son père ...

MUCHE.   J'ai déjà expliqué à Mme la baronne qu'il y a
eu sans doute une erreur de la part du secrétaire qui recopie 10
vos notes ...

TOPAZE.   Je ne crois pas, monsieur le directeur ... car
je n'ai pas de secrétaire, et ce bulletin a été rédigé[3] de
ma main ... (*Il prend le bulletin et l'examine.*)

MUCHE, *il appuie sur certaines phrases.* Mme la baronne, 15
qui vient de vous demander des *leçons particulières, a trois
enfants dans notre maison*, et je lui ai moi-même de *grandes
obligations !* ... C'est pourquoi je ne serais pas étonné
qu'il y *eût*[4] une erreur.

TOPAZE *regarde le bulletin.* Pourtant ces notes sont bien 20
celles que j'ai données à l'élève ...

LA BARONNE.   Comment ? (*Elle lit sur le bulletin.*)
*Français: zéro. Calcul: zéro. Histoire: un quart. Morale:
zéro.*

MUCHE.   Allons ! Regardez bien, monsieur Topaze ... 25
Regardez *de plus près*, avec *toute votre perspicacité* ...

TOPAZE.   Oh ! c'est vite vu ... Il n'a eu que des zé-
ros ... Je vais vous montrer mes cahiers de notes ...
(*Il prend un cahier ouvert.*)

MUCHE, *il lui prend le cahier et le referme.* Écoutez-moi, 30

---

[1] *a trifle.*   [2] *for the quarter.*   [3] *drawn up.*   [4] It is thoroughly
pedantic on the part of Muche to use this tense in conversation.

mon cher ami. Il n'y a pas grand mal à se tromper: *E.
rare humanum est, perseverare diabolicum.*[1] *(Il le regard.
fixement entre les deux yeux.)* Voulez-vous être assez bo
pour refaire le calcul de la moyenne de cet enfant?

5 TOPAZE. Bien volontiers... Ce ne sera pas long..
*(Il s'installe à sa chaire, ouvre plusieurs cahiers et commend
ses calculs. Cependant, la Baronne et Muche, debout d
part et d'autre de la chaire, échangent quelques phrases
haute voix, tout en regardant Topaze.)*

10 MUCHE. Aurez-vous bientôt, madame la baronne
l'occasion de rencontrer M. l'inspecteur d'académie?

LA BARONNE. Je le verrai mercredi, car c'est le mer
credi soir qu'il a son couvert chez moi... C'est un ancien
condisciple[2] du baron, il a pour nous une très grande
15 amitié...

MUCHE. Il a beaucoup d'estime pour notre ami M. Topaze, mais il n'a pas pu lui donner les palmes cette année... Il ne les lui a décernées que moralement.

LA BARONNE. Oh!... M. Topaze aura son ruban à
20 la première occasion. Je vous le promets!

MUCHE. Dites donc, mon cher ami, Mme la baronne
promet que vous aurez réellement les palmes l'an prochain...

TOPAZE, *il relève la tête.* Ce serait vraiment une grande
25 joie, madame... Cette nouvelle est pour moi plus que
vous ne pensez, madame...

MUCHE. Vous avez retrouvé l'erreur?

TOPAZE. Mais non... Il n'y a pas d'erreur...

MUCHE, *impatienté.* Voyons, voyons, soyez logique avec
30 vous-même!... Vous croyez Mme la baronne quand elle

---

[1] *To err is human, to continue in it is of the devil.*   [2] *school-mate.*

vous dit que vous aurez les palmes et vous ne la croyez
pas quand elle affirme qu'il y a une erreur !

TOPAZE. Mais, madame, je vous jure qu'il n'y a pas
d'erreur possible. Sa meilleure note est un 2... Il a eu
encore un zéro, hier, en composition mathématique... 5
Onzième et dernier: Pitart-Vergniolles...

LA BARONNE, *elle change de ton.* Et pourquoi mon fils
est-il le dernier ?

MUCHE, *il se tourne vers Topaze.* Pourquoi dernier ?

TOPAZE. Parce qu'il a eu zéro.   10

MUCHE, *à la Baronne.* Parce qu'il a eu zéro.

LA BARONNE. Et pourquoi a-t-il eu zéro ?

MUCHE, *il se tourne vers Topaze sévèrement.* Pourquoi
a-t-il eu zéro ?

TOPAZE. Parce qu'il n'a rien compris au pro- 15
blème.

MUCHE, *à la Baronne, en souriant.* Rien compris au
problème.

LA BARONNE. Et pourquoi n'a-t-il rien compris au
problème ? Je vais vous le dire, monsieur Topaze, puisque 20
vous me forcez à changer de ton. (*Avec éclat.*) Mon fils
a été le dernier parce que la composition était truquée.[1]

MUCHE. Était truquée !... ho ! ho ! ceci est d'une
gravité exceptionnelle... (*Topaze est muet de stupeur et
d'émotion.*)   25

LA BARONNE. Le problème était une sorte de laby-
rinthe [2] à propos de deux terrassiers [3] qui creusent un
bassin rectangulaire. Je n'en dis pas plus.

MUCHE, *à Topaze, sévèrement.* Mme la baronne n'en
dit pas plus !   30

[1] "*fixed*," "*not on the level.*"   [2] *maze.*   [3] *laborers* (who make
terraces).

TOPAZE.   Madame, après une accusation aussi infa
mante,[1] il convient d'en dire plus.

MUCHE.   Calmez-vous, cher ami.

LA BARONNE, *à Topaze*.   Nierez-vous qu'il y ait dans
5 votre classe un élève nommé Gigond ?

MUCHE, *à Topaze*.   Un élève nommé Gigond ?

TOPAZE.   Nullement.   J'ai un élève nommé Gigond

MUCHE, *à la Baronne*.   Un élève nommé Gigond.

LA BARONNE, *brusquement*.   Quelle est la profession de
10 son père ?

TOPAZE.   Je n'en sais rien.

LA BARONNE, *à Muche, sur le ton de quelqu'un qui porte
un coup décisif*.   Le *père* du nommé Gigond *a une entreprise de terrassement*.[2]   Dans le *jardin* du nommé Gigond,
15 il y a un *bassin rectangulaire*.   Voilà.   Je n'étonnerai personne en disant que le nommé Gigond a été premier.

MUCHE, *sévèrement*.   Que le nommé Gigond a été
premier.   (*A la Baronne en souriant*.)   Mon Dieu, madame . . .

20 TOPAZE, *stupéfait*.   Mais je ne vois nullement le rapport . . .

LA BARONNE, *avec autorité*.   Le problème a été choisi
pour favoriser le nommé Gigond.   Mon fils l'a compris
tout de suite.   Et il n'y a rien qui décourage les enfants
25 comme l'injustice et la fraude.[3]

TOPAZE, *tremblant et hurlant*.   Madame, c'est la première fois que j'entends mettre en doute ma probité . . .
qui est entière,[4] madame . . . qui est entière . . .

MUCHE, *à Topaze*.   Calmez-vous, je vous prie.   Certes,
30 on peut regretter que le premier en mathématique soit

---

[1] *infamous, shameful.*   [2] *terrace construction business.*   [3] *deceit.*
[4] *unimpeachable.*

précisément un élève qui, par la profession de son père et
par la nature même du bassin qu'il voit chez lui, ait pu
bénéficier d'une certaine familiarité avec les données [1]
du problème. (*Sévèrement.*) Ceci, d'ailleurs, ne se repro-
duira plus, car j'y veillerai ... Mais, d'autre part, madame, 5
(*La main sur le cœur.*) je puis vous affirmer l'entière bonne
foi de mon collaborateur.

La Baronne. Je ne demande qu'à vous croire. Mais
il est impossible d'admettre que mon fils soit dernier.

Muche, *à Topaze.* Impossible d'admettre que son fils 10
soit dernier.

Topaze. Mais, madame, cet enfant est dernier, c'est
un fait.

La Baronne. Un fait inexplicable.

Muche, *à Topaze.* C'est peut-être un fait, mais il est 15
inexplicable.

Topaze. Mais non, madame, et je me charge de vous
l'expliquer.

La Baronne. Ah ! vous vous chargez de l'expliquer !
Eh bien, je vous écoute, monsieur. 20

Topaze. Madame, cet enfant est en pleine croissance. [2]

La Baronne. Très juste.

Topaze. Et physiquement, il oscille entre deux états
nettement caractérisés.

Muche. Hum ... 25

Topaze. Tantôt il bavarde, [3] fait tinter [4] des sous dans
sa poche, ricane [5] sans motif et jette des boules puantes. [6]
C'est ce que j'appellerai la période active. Le deuxième
état est aussi net. Une sorte de dépression. A ces mo-
ments-là, il me regarde fixement, il paraît m'écouter avec 30

---

[1] *conditions, given facts.* [2] *at the growing age.* [3] *chatters, talks
a great deal.* [4] *jingles.* [5] *snickers, sneers, grins.* [6] *stink balls.*

une grande attention.   En réalité, les yeux grands ouverts
il dort.

LA BARONNE, *elle sursaute.*[1]   Il dort ?

MUCHE.   Ceci devient étrange.   Vous dites qu'il dort ?

5   TOPAZE.   Si je lui pose une question, il tombe de son
banc.

LA BARONNE.   Allons, monsieur, vous rêvez.

TOPAZE.   Non, madame, je veux vous parler dans son
intérêt, et je sais que ma franchise lui sera utile, car les
10 yeux d'une mère ne voient pas tout.

MUCHE.   Allons, mon cher Topaze, je crois que vous
feriez beaucoup mieux de trouver l'erreur.

LA BARONNE, *à Muche.*   Laissez parler M. Topaze.   Je
crois qu'il va nous dire quelque chose d'intéressant.
15 Qu'est-ce que les yeux d'une mère ne peuvent pas
voir ?

TOPAZE, *convaincu et serviable.*[2]   Regardez bien votre fils,
madame.   Il a un facies terreux,[3] les oreilles décollées,[4]
les lèvres pâles, le regard incertain.

20   LA BARONNE, *outrée.*[5]   Oh !

MUCHE, *en écho.*   Oh !

TOPAZE, *rassurant.*   Je ne dis pas que sa vie soit menacée
par une maladie aiguë: non.   Je dis qu'il a probablement
des végétations,[6] ou peut-être le ver solitaire,[7] ou peut-
25 être une hérédité chargée,[8] ou peut-être les trois à la fois.
Ce qu'il lui faut, c'est une surveillance médicale.   (*Pendant
les dernières phrases, la Baronne a tiré de son sac un face-à-
main* [9] *et elle examine Topaze.*)

---

[1] *starts, is startled.*   [2] *obliging.*   [3] *a sickly look*, mauvaise mine, un
air qui indique une mauvaise santé ou une fatigue extrême.   [4] *that
stick out.*   [5] *outraged, furious.*   [6] *growths* (such as adenoids).   [7] *a
tapeworm.*   [8] *poor heredity.*   [9] *a lorgnette.*

LA BARONNE, *à Muche.* Mais qu'est-ce donc que ce
alvaudeux [1] mal embouché ? [2]

MUCHE, *sévère et hurlant.* Monsieur Topaze ! (*Humble
désolé.*) Madame la baronne !

TOPAZE. Mais, madame . . .   5

LA BARONNE. Un pion galeux [3] qui se permet de juger
es Pitart-Vergniolles !

MUCHE. Monsieur Topaze, c'est incroyable . . . Vous
.gez les Pitart-Vergniolles !

LA BARONNE. Un crève-la-faim [4] qui cherche à rac- 10
rocher [5] des leçons particulières . . .

TOPAZE. Mais je parlais en toute sincérité . . .

LA BARONNE. Et ça court après les palmes !

TOPAZE. Mais, madame, je les ai déjà moralement !

MUCHE, *sarcastique.* Moralement ! Faites des excuses, 15
monsieur, au lieu de dire de pareilles niaiseries.[6] Chère
madame . . .

LA BARONNE. Monsieur Muche, si ce diffamateur [7]
professionnel doit demeurer dans cette maison, je vous
etire mes trois fils séance tenante.[8] Quant à ce bulletin 20
ypocrite, voilà ce que j'en fais.

(*Elle déchire le bulletin, jette les morceaux au nez de Topaze
et sort. M. Muche, affolé, la suit, en bégayant [9]: « Madame
a baronne . . . Madame la baronne . . . » Topaze reste seul,
ahuri [10] . . . Soudain, Muche rentre, terrible.*)   25

---

[1] *ne'er-do-well,* une personne qui travaille mal, qui déshonore (*dis-
honors*) son métier.   [2] *foul-mouthed,* seuls les mots vulgaires sortent de sa bouche.   [3] *mangy school monitor.*   [4] *hungry dog.*   [5] *pick
up.*   [6] *silly things.*   [7] *slanderer, defamer.*   [8] **immédiatement.**
[9] *stammering.*   [10] *dumfounded, in a flurry.*

Scène XIV

Muche, Topaze

Muche. Monsieur, vous avez parlé à cette dame ave[c] une audace stupéfiante. Tâchez de la rejoindre avan[t] qu'elle n'ait quitté cette maison et présentez-lui vo[s] excuses !

5 Topaze. Si je l'ai offensée, je n'en avais pas l'intentio[n]

Muche. Courez le lui dire et obtenez son pardon, sino[n] votre carrière ici sera gravement compromise.

Topaze. J'y cours, monsieur le directeur, j'y cour[s]

(*Muche, resté seul, se promène fébrilement* [1] *de long e[t]*
10 *large. Tamise entre, souriant, par la gauche.*)

Scène XV

Muche, Tamise

Tamise. Bonjour, monsieur le directeur.

Muche. Bonjour.

Tamise. Je désirerais, monsieur le directeur, vou[s] demander un conseil.

15 Muche. Venez me voir dans mon bureau, à midi.

Tamise. Monsieur le directeur, je m'excuse d'insiste[r] mais j'aimerais vous parler tout de suite, car je crois qu[e] c'est le moment.

Muche, *qui regarde du côté de la fenêtre.* Je vous écoute[

20 Tamise, *machiavélique.* [2] Monsieur le directeur, vou[s] n'êtes pas seulement le maître et le chef de cette maison[mais vous en êtes à coup sûr la plus haute autorité morale[

Muche, *distrait.* [3] Si vous voulez.

---

[1] *feverishly.*   [2] *fin, rusé.*   [3] *absent-mindedly.*

Tamise.   C'est pourquoi je voudrais avoir votre opinion
sur une affaire qui n'a rien de scolaire... (*Un temps.*
Muche le regarde d'un œil froid.) J'ai un ami, qui est jeune,
bien fait de sa personne [1] et qui me paraît avoir un certain
avenir.   5

Muche.   Eh bien ?

Tamise.   Cet ami est amoureux d'une jeune fille qui,
de son côté, n'est pas indifférente aux charmes de mon ami
puisqu'elle lui a donné des encouragements très nets.

Muche.   Eh bien ?   10

Tamise.   Tout ceci, normalement, devrait se terminer
par un mariage, mais il y a une certaine différence de
fortune et de situation.   Mon ami est lieutenant, le père
de la jeune fille est général.   Et voici la question que je
veux vous poser.   Si mon ami tente une démarche auprès 15
du général, comment sera-t-il reçu ?

Muche.   Voilà qui mérite examen... Votre ami est-il
un parfait honnête homme ? [2]

Tamise.   Pour ça, j'en réponds !

Muche.   Le général est-il homme de cœur ?   20

Tamise.   Oh ! oui, il a une âme de général.

Muche.   Que votre ami présente sa demande.   Il sera
reçu à bras ouverts, du moins, je le crois.

Tamise, *un large sourire.*   Eh bien, le général, c'est vous !

Muche, *stupéfait.*   Moi, général ?   25

Tamise.   Le lieutenant, c'est Topaze, et la jeune fille,
c'est la toute gracieuse Mlle Muche.

Muche.   Comment, Topaze veut épouser ma fille ?

Tamise.   Oui.

Muche.   Et vous dites qu'elle lui a donné des encourage- 30
ments ?

[1] *a fine figure of a man.*   [2] *a gentleman*, bien élevé, comme il faut.

TAMISE.　Nets, mais discrets et dignes d'une jeune fill[e]
de bonne famille ...

MUCHE.　Par exemple ?

TAMISE.　Quand elle a des devoirs à corriger, elle le[s]
5 lui confie, ils se retrouvent ici même pendant les récréa[-]
tions ... Bref, c'est une idylle [1]...

MUCHE.　Je vais étudier la question ...

TAMISE.　Que dois-je dire à Topaze ?

MUCHE.　Rien. Je lui parlerai moi-même.

10 TAMISE.　J'aurais aimé lui rapporter ...

MUCHE, *ex abrupto*.[2]　J'ai moi aussi une question à vou[s]
poser.　Croyez-vous que l'électricité soit un fluide gratuit .

TAMISE, *déconcerté*.　Dans quel sens ?

MUCHE.　Hier, en quittant votre classe, vous ave[z]
15 négligé d'éteindre les quatre lampes qui l'éclairent.　Elle[s]
brûlaient encore ce matin à 8 heures, j'ai dû les éteindre d[e]
ma main.　C'est pour cette raison que je vous retiendrai
à la fin du mois, quinze francs, plus dix francs d'amende.[3]

TAMISE.　Mais il me semble pourtant ...

20 MUCHE.　D'autre part, si vous exerciez sur vos élève[s]
une surveillance plus attentive, je n'aurais pas eu le dé[-]
plaisir de lire sur un pupitre de votre classe une inscriptio[n]
gravée au couteau qui dit en majuscules [4] de cinq centi-
mètres: « *Muche égale salaud*.[5] »

25 TAMISE.　Sur quel pupitre ?

MUCHE.　Allez-y voir, monsieur Tamise.　Tâchez de
découvrir le coupable, sinon je vous prierai de remplace[r]
le pupitre à vos frais.　Et puisque vous me demandez conseil, je vais vous donner celui-ci: il vaudrait mieux vous
30 occuper de votre métier que de faire l'entremetteur béné-

---

[1] *idyll.*　[2] Latin phrase meaning *abruptly.*　[3] *fine.*　[4] *capital*
letters.　[5] *dirty fellow.*

ole [1] et de jouer les valets de comédie.[2] Au revoir. (*Tamise, médusé,*[3] *se dirige à reculons vers la sortie. Il veut
parler encore une fois. Muche le coupe net.*) Je ne vous
retiens pas. (*Il sort, écrasé.*)

Scène XVI

MUCHE, ERNESTINE

MUCHE, *il ouvre la porte de la classe d'Ernestine.* Ernes- 5
tine... Viens ici... (*Elle entre.*) Est-il vrai que tu
fasses corriger tous tes devoirs par Topaze ?

ERNESTINE. Oui, c'est vrai !

MUCHE. Pourquoi ?

ERNESTINE. Parce que c'est un travail qui me dégoûte.[4] 10
Cette classe enfantine, j'en ai horreur. Pendant que
d'autres se promènent avec des manteaux de fourrure, je
reste au milieu de trente morveux [5]... Tu crois que c'est
une vie ?

MUCHE. C'est la vie d'une institutrice. 15

ERNESTINE. Puisque je la supporte, tu n'as rien à dire.
Et si je trouve un imbécile qui corrige mes devoirs, je ne
vois pas en quoi je suis coupable...

MUCHE. Je ne te reproche pas de faire faire ton travail
par un autre. Le principe même n'est pas condamnable. 20
Mais pour quelle raison cet idiot fait-il ton travail ?

ERNESTINE. Parce que je le fais marcher.[6]

MUCHE. Ouais [7]... Tu ne lui as rien donné en
change ?

---

[1] *kindly go-between.* [2] Dans les comédies classiques françaises,
c'est toujours le valet qui faisait ce que Tamise vient d'essayer de
faire. [3] *struck dumb.* [4] *disgusts.* [5] *brats* (whose noses require
continual attention). [6] *string him along.* [7] *Well, well!*

ERNESTINE.   Rien.

MUCHE.   Alors pourquoi s'imagine-t-il que tu l'aimes ?
Il a l'intention de me demander ta main.

ERNESTINE.   Il peut toujours la demander !

5   MUCHE.   Comment aurait-il cette audace si les choses
n'étaient pas allées plus loin que tu ne le dis ?   Allons,
dis-moi la vérité.   Qu'y a-t-il entre vous ?

ERNESTINE.   Rien.   Il me fait les yeux doux.

MUCHE.   C'est tout ?

10   ERNESTINE.   Il a même essayé de m'embrasser.

MUCHE.   Où ?

ERNESTINE.   Ici.

MUCHE, *il se prend la tête à deux mains*.   Malheu-
reuse !... Dans une classe !... Tous les enfants pou-
15 vaient le voir, le raconter à leur famille !   Tu veux donc
chasser les derniers élèves qui nous restent ?

ERNESTINE.   Oh ! pour ça, la cuisinière s'en charge !

MUCHE, *violent*.   Réponds à ce que je te dis au lieu de
diffamer la maison de ton père !   Il n'y a rien d'autre entre
20 vous ?

ERNESTINE.   Mais non, voyons !   Pour qui me prends-
tu ?

MUCHE.   Bien.

(*Il fait quelques pas, les mains derrière le dos, les dents
25 serrées, le front barré de trois plis verticaux entre les sourcils.
On voit enfin Topaze paraître sur la porte.   Il a perdu ses
lunettes.   Il marche presque à tâtons,[1] il se dirige vers la
chaire.*)

----

[1] *like a blind man.*

Scène XVII

Les mêmes, Topaze

Topaze. Monsieur le directeur, cette dame refuse de m'entendre tant que je n'aurai pas retrouvé cette erreur ! (*Avec violence.*) Et pourtant, il n'y en a pas ! Je ne peux pourtant pas inventer une erreur !

Muche, *glacial*. Taisez-vous, taisez-vous, monsieur ! 5 On peut duper les gens pendant longtemps, mais il vient toujours un moment où le bandeau tombe, où les yeux s'ouvrent, où l'imposteur est démasqué. Monsieur, vous êtes la honte de cette maison !

Topaze. Monsieur le directeur... 10

Muche. Vous donnez en cachette des leçons *gratuites* pour déconsidérer [1] l'enseignement...

Topaze. Monsieur le directeur...

Muche. Vous m'annoncez des élèves qu'on refuse ensuite de nous confier. Vous refusez de retrouver une 15 erreur quand c'est un parent d'élève qui l'exige; vous truquez [2] les compositions !

Topaze. Mais, monsieur le directeur !

Muche. Et pour comble vous ajoutez à la sottise [3] et à la mauvaise foi le scandale ! 20

Topaze. Moi ? Moi ? Mademoiselle Muche...

Muche. Ici même, dans cette classe et sous les yeux de nos enfants épouvantés, n'avez-vous pas essayé d'embrasser ma fille !

Topaze. Moi ? Moi ? 25

Muche. C'est par égard pour cette maison que je ne ferai pas appeler la police. Passez à la caisse immédiate-

[1] *cast discredit on.*   [2] *"fix."*   [3] *foolishness, stupidity.*

ment.   A partir d'aujourd'hui, 10 h. 30, vous n'appartene:
plus à l'établissement.   Venez, Ernestine !   (*Il entraîne s*
fille et disparaît.)

TOPAZE.   Monsieur le directeur ! . . .   Monsieur Muche
5 . . . (*Ils sont partis.   Il a un geste de désespoir.*)   *A*
la porte, moi . . .   Mais c'est monstrueux ! . . .   (*Il ré*
fléchit un moment; on le devine prêt à courir chez Muche
puis il se retient.   Pensif, il se relève, il ouvre les tiroirs [1] *d*
sa chaire et fait ses paquets en silence.   Il prend les liasses [2]
10 *de devoirs que lui a confiés Ernestine, les regarde.*)   C'est
la journée des malentendus !* [3]

(*Puis il glisse dans sa serviette* [4] *tous ses accessoires,
porte-plume, crayons, cahiers.   Il prend sur l'armoire*
l'écureuil empaillé [5] *et se dispose à partir.   Soudain, une idée*
15 *le frappe.   Il dépose l'écureuil sur l'estrade* [6] *et revient vers*
le tableau.   Il efface l'inscription qui s'y trouve et écrit en
grosses lettres: « La composition de morale est ajournée. [7] *»*
Puis, tristement, il sort.)

RIDEAU

[1] *drawers.*   [2] *bundles.*   [3] *misunderstandings.*   [4] *brief case, por-*
folio.   [5] *stuffed squirrel.*   [6] *platform.*   [7] *postponed.*

ACTE II

Un boudoir très moderne chez Mlle Suzy Courtois.

Scène Première

Suzy, Castel-Bénac

Suzy. Régis, est-ce que vous vous moquez de moi ?

Castel-Bénac. Mais non, ma chère, je te jure que je t'ai réservé cent mille francs.

Suzy. Eh bien, moi, je vous jure que vous m'en donnerez cent cinquante si vous tenez à revenir dans cette 5 maison.

Castel-Bénac. Écoute, Suzy, cent cinquante, c'est un gros cadeau.

Suzy. Mais il ne s'agit pas d'un cadeau. Je réclame ma part. Dirait-on pas que j'attends vos cadeaux sans 10 rien faire ?

Castel-Bénac. Il est certain que tu me donnes des conseils précieux, c'est ton rôle dans nos affaires, mais tout de même, si le maire a voté pour moi les balayeuses automobiles,[1] c'est parce que j'ai voté pour lui l'affaire de ... 15 tu sais déjà ce que c'est ... qui va lui rapporter une fortune ...

Suzy. Dites-moi clairement que vous voulez me voler ma part. (*Un temps.*) Il me faut cent cinquante billets[2] avant le 15. 20

[1] *motorized street sweepers.*   [2] i.e. de mille francs.

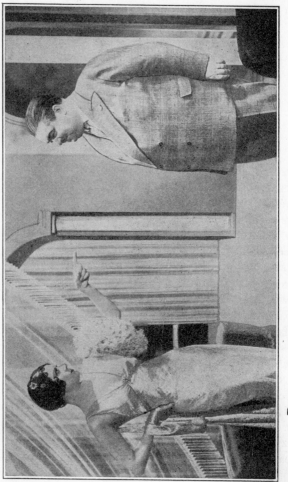

DITES-MOI CLAIREMENT QUE VOUS VOULEZ ME VOLER MA PART.

Castel-Bénac. Écoute, ma petite, en ce moment je n'ai aucune disponibilité.[1]

Suzy. Allons donc! l'affaire des balayeuses va faire rentrer presque un million.

Castel-Bénac. Un million pour le brut,[2] mais elle est très lourde. En plus des pots-de-vin[3] habituels il faut verser quatre-vingts billets au secrétaire de la Fédération des balayeurs.[4]

Suzy. Pourquoi? Les balayeurs devraient être bien contents d'avoir des machines.

Castel-Bénac. Ceux qui seront sur les machines seront bien contents; mais ceux qu'on va mettre à la porte?

Suzy. Pourquoi?

Castel-Bénac. L'achat des balayeuses entraîne la suppression de deux cents balayeurs, c'est même en insistant sur cette économie que j'ai enlevé le vote du conseil municipal.[5] La Fédération fera du bruit si je n'achète pas le secrétaire. Et puis, il y a la presse. Tu n'as qu'à regarder le bilan[6]... tu verras. (*Il lui tend une feuille de papier.*)

Suzy, *elle refuse de la prendre.* Ça ne m'intéresse pas.

Castel-Bénac. Regarde et tu verras que, si je te donne cent cinquante, j'y suis de ma poche.[7]

Suzy. Cela m'est égal. C'est oui ou c'est non?

Castel-Bénac. C'est oui. (*Entre un maître d'hôtel[8] qui annonce M. Roger de Berville.*)

Suzy. Une minute. (*Le Maître d'hôtel sort.*) Pourquoi vient-il ici?

---

[1] *available funds.*   [2] *gross proceeds.*   [3] *bribes.*   [4] *Street Sweepers'* (*Whitewings'*) *Union.*   [5] *city council.*   [6] *balance sheet.*   [7] **je perds de l'argent dans l'affaire.**   [8] *butler;* usually, ' headwaiter.'

CASTEL-BÉNAC. C'est moi qui l'ai convoqué.[1]

SUZY. Tu as une nouvelle affaire en vue ?

CASTEL-BÉNAC. Mais non, c'est pour les balayeuses.

SUZY. Comment, l'adjudication[2] sera close demain
5 et ce n'est pas réglé ?

CASTEL-BÉNAC. En principe, tout est réglé, mais il
n'a pas encore signé.

SUZY. Il n'a pas voulu ?

CASTEL-BÉNAC. Il n'a pas pu. Depuis quinze jours, il
10 avait un bras en écharpe.[3]

SUZY. Oh ! oh ! qu'est-ce que c'est que cette histoire-
là ?

CASTEL-BÉNAC. Oh ! un accident banal... Son démar-
reur était coincé,[4] il a voulu remettre en marche à la main
15 et il a pris un retour de manivelle,[5] voilà tout.

SUZY, sarcastique. Oui, voilà tout ! Eh bien, mon cher,
ça y est, vous êtes roulé.

CASTEL-BÉNAC. Roulé ? Pourquoi ?

SUZY. Parce que le petit jeune homme vous a joué la
20 comédie afin de signer au dernier moment.

CASTEL-BÉNAC. Mais puisqu'il vient signer à temps...

SUZY. A quelles conditions ?

CASTEL-BÉNAC. Cinq pour cent, comme d'habitude.

SUZY. Comptez là-dessus.

25 CASTEL-BÉNAC. Comment ? Tu crois qu'il aurait
machiné sa petite affaire[6] et...

SUZY. Il faut que tout soit réglé ce soir, sinon l'affaire
est ratée.[7] Moi, si j'étais à sa place, tu n'y couperais
pas de[8] 35%... Avec lui, ça sera du 30.

---

[1] prié de venir. [2] adjudging, awarding. [3] in a sling. [4] The
starter of his auto got stuck. [5] back kick of the crank. [6] played his
little game. [7] will fall through. [8] wouldn't get off with.

CASTEL-BÉNAC, *hagard.*   Si ce petit voyou[1] m'a fait
ce coup-là...

SUZY.   Doucement, mon cher, doucement.   Ce n'est
plus le moment de crier.   Tâchons de voir ce qu'on peut
encore sauver de l'affaire. (*Elle sonne le Maître d'hôtel.*) 5
Faites entrer M. de Berville. (*Le Maître d'hôtel sort.*)
Essayez de l'amadouer[2] en lui promettant la nouvelle
agence, puisque aussi bien nous avons l'intention de la lui
donner ! Et surtout, tâchez d'éviter ces explosions d'in-
jures et de mots grossiers[3] qui ne peuvent que gâter une 10
affaire.   Soyez calme et distingué, si vous le pouvez.
(*Entre Roger de Berville.*)

SCÈNE II

LES MÊMES, plus ROGER DE BERVILLE

ROGER.   Bonjour, chère mademoiselle, comment allez-
vous ?

SUZY.   Fort bien, et vous-même ?   15

ROGER.   Le mieux du monde.

CASTEL-BÉNAC.   Alors, ce bobo,[4] c'est guéri ?

ROGER.   Oui, presque... le décollement de l'olécrane
est en bonne voie et les ligaments de la face interne pa-
raissent suffisamment resserrés.[5]   20

CASTEL-BÉNAC, *il tâte[6] son bras.*   Eh bien, tant mieux.
Tu vois, il avait un décollement de l'olécrane et un re-
lâchement des ligaments[7] de...

---

[1] *blackguard, scamp.*   [2] *wheedle, coax.*   [3] *vulgar.*   [4] **mal léger,**
slight injury.   [5] *the separation of the olecranon (from the shaft of the
ulna) is coming along nicely and the internal lateral ligaments do not
show any separation.*   [6] *feels.*   [7] *a tearing of the ligaments.*   All this
simply means that Roger has broken a bone near the elbow.

Suzy. Oui, il vient de nous le dire. (*A Roger.*) Vou
pouvez signer ?

Roger. Je l'espère.

Castel-Bénac. Vous avez apporté les pièces néces
5 saires pour le dépôt de la soumission ? [1]

Roger. Oui, cher ami. Acte de naissance et le casie
judiciaire. [2]

Castel-Bénac. Eh bien, si nous passions tout de suit
dans les bureaux pour cette petite formalité ?

10 Roger. Ah ? vous avez de nouveaux bureaux ?

Suzy. Oui. Régis vient d'acheter l'immeuble [3] voisin
et tout le premier étage est transformé en bureaux. J'a
fait percer le mur ici.

Roger. Ces bureaux, je crois, sont destinés à une
15 agence ? Il me semble que vous m'aviez parlé de ça il y a
quelque temps ?

Castel-Bénac. Mon cher, il s'agit en effet d'une
agence qui centralisera toutes les affaires de fournitures
à la ville. Naturellement, nous aurons un directeur
20 général: situation considérable ... Nous ne l'avons pas
encore choisi, d'ailleurs ... (*Il cligne* [5] *un œil vers Suzy.*)
Passez, cher ami ...

Roger. Après vous.

Castel-Bénac. Mon cher ami ... Je suis presque
25 chez moi ...

Roger. Non, non, montrez-moi le chemin ...

Castel-Bénac. Mon cher ami, je n'en ferai rien !

Roger. Soit ! (*Il passe. Castel-Bénac le suit et referme*

---

[1] *bid on the contract.*   [2] birth certificate and proof that he has no
police record.   These documents are absolutely essential to the sign-
ing of any contracts.   Frenchmen have them always readily acces-
sible.   [3] *apartment building.*   [4] *supplies.*   [5] *winks.*

porte. *Suzy s'installe sur le divan et commence à ranger ses affaires. Entre le Maître d'hôtel.*)

LE MAÎTRE D'HÔTEL. Mademoiselle, M. le professeur est arrivé.

SUZY. Bien, conduisez-le chez Gaston et dites-lui qu'il vienne me voir après sa leçon.

LE MAÎTRE D'HÔTEL. Il demande si Mademoiselle veut le recevoir tout de suite.

SUZY. Bien, qu'il entre.

(*Le Maître d'hôtel sort. Puis Topaze entre. Il a mis son costume de la distribution des prix.*[1])

SCÈNE III

SUZY, TOPAZE

SUZY. Bonjour, monsieur Topaze.

TOPAZE. Bonjour, mademoiselle.

SUZY. Vous avez quelque chose à me dire? Je vous écoute. Asseyez-vous donc. (*Topaze s'assoit au bord d'un fauteuil.*)

TOPAZE. Ce matin même, mademoiselle, vous m'avez demandé s'il me serait possible de donner à M. Gaston deux heures de leçon chaque jour ... Eh bien, mademoiselle, je viens vous dire que, si vous avez la bonté de maintenir cette proposition, je suis tout prêt à l'accepter.

SUZY. Impossible maintenant. Le père de Gaston sera de passage ici demain, il emmène l'enfant avec lui.

TOPAZE, *déçu.* Ah! fort bien, mademoiselle, fort bien.

SUZY. Vous avez l'air déçu. Et pourtant, ce matin, quand je vous demandais ces deux heures, vous m'avez répondu que vous manquiez de temps.

---

[1] *commencement day exercises.*

TOPAZE. C'était exact, mademoiselle. Mais à part d'aujourd'hui, 10 heures, j'ai beaucoup plus de loisir.

SUZY. M. Muche a réduit votre emploi du temps.

TOPAZE, *avec effort.* Oui, il l'a réduit. En fait, il l'a
5 même réduit à rien.

SUZY. Et il vous paie pour ne rien faire ?

TOPAZE. C'est-à-dire qu'il a réduit mon traitement¹ dans les mêmes proportions.

SUZY. Dites tout de suite qu'il vous a remercié ?

10 TOPAZE. Même pas. En fait, il m'a mis à la porte.²

SUZY. Oh !... C'est bien fâcheux... J'espère que ma visite n'y est pour rien ?³

TOPAZE. Oh ! non, mademoiselle... Il y a eu simplement une suite invraisemblable⁴ de malentendus⁵...

15 SUZY. Mais, alors, qu'allez-vous faire ?

TOPAZE. Si M. Muche ne me rappelle pas, je chercherai des leçons.

SUZY. Si parmi mes relations je puis vous trouver des élèves, je ne manquerai pas de vous les adresser.

20 TOPAZE. Je vous en serai très reconnaissant, mademoiselle. Est-il utile que j'aille donner une dernière leçon à M. Gaston ?

SUZY. Mais oui, monsieur Topaze. L'enfant vous attend.

25 TOPAZE. Je lui ferai faire une petite dictée d'adieu.

SUZY. Oui, très bien... Et n'oubliez pas, avant de partir, de me remettre la note de vos honoraires⁶...

TOPAZE. Bien, mademoiselle... A tout à l'heure, mademoiselle... (*Il salue et sort.*)

---

¹ salaire. ² *let you out, discharged you.* ³ n'a rien à faire avec ce qui vient de se produire. ⁴ *improbable.* ⁵ *misunderstandings.*
⁶ *professional charges.*

Scène IV

Suzy, Castel-Bénac, Roger

La porte du bureau s'ouvre, Castel-Bénac en sort suivi de Roger.

Castel-Bénac, *calme et froid.* Eh bien, soit, cher ami, en parlons plus.

Roger. Étant donné la différence de nos points de vue, crois qu'il serait inutile de prolonger la discussion.

Suzy, *comme effrayée.* Vous n'allez pas parler d'affaires, 5 moins ?

Roger. Non, chère mademoiselle, rassurez-vous, nous vons fini.

Suzy, *elle tend une boîte.* Cigarette ?

Roger. Bien volontiers... Êtes-vous allée au concert 10 s temps-ci ?

Suzy. Oui... J'ai entendu les chœurs de la chapelle ixtine.[1] Ils sont merveilleux.

Roger. Ah ! la pureté de ces voix ! On se sent trans- orté au-dessus [2] des banalités quotidiennes... J'en ai 15 leuré, parole d'honneur. (*A Castel.*) J'espère, cher ami, ue vous n'avez pas manqué ce régal ? [3]

Castel-Bénac, *sarcastique.* Malheureusement, je n'ai as pu y aller. Je m'étais démanché l'olécrane et distendu ligament. 20

Roger, *avec un étonnement parfaitement naturel.* Com- ent ? Vous aussi ?

Castel-Bénac, *il éclate, il suffoque de colère contenue.* h ! mon Dieu ! (*Les yeux au plafond.*) Renégat,[4] vendu,[5]

---

[1] *Sistine Chapel*, une chapelle célèbre qui se trouve dans le Vati- an, demeure du Pape à Rome.   [2] *above, beyond.*   [3] *treat.*   [4] *rene- de.*   [5] *traitor*, celui qui vend son nom et son influence.

margoulin![1] Écraser la tête sous mon pied, comme
putois.[2] (*Il se frappe la poitrine.*) A un homme comm
moi !

SUZY, *sévèrement.* Qu'avez-vous, cher ami ?

5 CASTEL-BÉNAC, *il montre Roger du doigt.* Cent mil
francs !

SUZY. Comment, cent mille francs ?

CASTEL-BÉNAC. Pour les balayeuses, il exige cent mil
francs !

10 ROGER. Et monsieur m'en offre cinquante.

SUZY. Cinquante, ce n'est pas beaucoup, mais cer
c'est énorme...

ROGER, *souriant.* Oh !... Énorme ?

CASTEL-BÉNAC. Si ce n'est pas une exigence de scé
15 rat,[3] c'est une prétention de fou !

ROGER, *très digne.* Dans ce cas, cher ami, le fou
retire... Chère mademoiselle, voulez-vous me perme
tre...

SUZY. Ah ! mais non !... Vous n'allez pas manquer u
20 affaire pareille parce que vous êtes tous les deux de ma
vaise humeur... Venez vous asseoir ici, Régis va no
servir du vin. (*A Roger.*) Voulez-vous me permettre u
question ?

ROGER. Mais certainement, chère mademoiselle...

25 SUZY. Pourquoi exigez-vous cette somme alors q
jusqu'ici vos prétentions étaient plus modestes ? Da
l'affaire du chauffage central[4] des écoles, vous aviez ci
pour cent.

ROGER. Oui, j'avais cinq pour cent, mais, si vous n
30 permettez le mot, j'étais une poire.[5]

---

[1] **maître chanteur,** *expert blackmailer.* [2] *skunk.* [3] *rascal, scou*
drel. [4] *central heating.* [5] *easy mark,* lit., ' pear.'

CASTEL-BÉNAC. Une poire qui a touché quarante-cinq mille francs.

ROGER. Et vous huit cent cinquante. Comparez.

CASTEL-BÉNAC, *il éclate.* Mais, sapristi,[1] qui est-ce qui est conseiller municipal ?[2] C'est vous ou c'est moi ?

ROGER. Cher ami, vous sortez de la question.

CASTEL-BÉNAC. Mais pas du tout ! Est-ce que le conseil aurait voté cette installation si je ne l'avais pas proposée ? Jamais de la vie, puisqu'on venait d'acheter les poêles.[3] Ils étaient tout neufs ! Il a fallu les casser à coups de marteau[4] pour les mettre à la ferraille.[5] Et même si on avait eu vraiment besoin de ces radiateurs à vapeur, est-ce qu'on serait allé vous chercher ?

ROGER. Pourquoi pas ?

CASTEL-BÉNAC. Allons donc ! Vous ne saviez pas même ce que c'était. Dans votre rapport vous avez écrit cinq fois « gladiateurs » ! Et il en a fourni deux mille !

ROGER, *modeste.* Je n'en ai que plus de mérite.

SUZY. Oui, c'est vrai. Mais en somme, dans toutes les affaires, vous n'avez qu'à prêter votre nom !

ROGER. Pas plus !

CASTEL-BÉNAC. Mais oui, pas plus !

SUZY. Régis, ne soyez pas injuste, c'est tout de même quelque chose.

ROGER. Surtout si l'on pense au nom que je porte: Roger de Berville.

SUZY. La particule[6] a sa valeur.

---

[1] *ye gods !*   [2] *alderman.*   [3] un **poêle** = *a stove;* une **poêle** = *a frying pan.*   [4] *hammer.*   [5] *old iron.*   [6] **la préposition de ».**

ROGER. On ne peut nier qu'elle ne soit supérieure a
trait d'union.[1]

SUZY. Certainement.

ROGER. Et, d'autre part, je suis depuis hier trésorie
5 du cercle de la rue Gay-Lussac, ce qui prouve que j'ai un
réputation bien établie de probité. Eh bien, la probit
ça se paie cher parce que c'est rare. Surtout dans un
affaire comme celle-là.

CASTEL-BÉNAC. Mais j'ai connu des gens d'une probit
10 formidable qui marchaient à quatre pour cent.

ROGER. Oui, des gens sans surface... Moi, cher am
je suis bien forcé d'exiger une part qui corresponde à mo
standing.

CASTEL-BÉNAC. Quand je vous ai connu, en fait d
15 standing, vous n'aviez qu'un gant, un chapeau de paill
et des dettes ! C'est moi qui vous ai mis à flot.

ROGER. Du moins, vous le dites.

CASTEL-BÉNAC. Comment, je le dis ? Votre studio
c'est l'affaire des pavés de bois; votre voiture, c'es
20 l'éclairage de l'abattoir,[2] et cette perle que tu vois dan
sa cravate, c'est le nouveau frigorifique de la Morgue !

ROGER. Mais vous sortez encore de la question..

CASTEL-BÉNAC, éclatant. Mais non, monsieur, je n
sors pas de la question ! J'y suis en plein dans la question
25 La vérité, c'est que vous êtes un ingrat ! Ah ! c'était don
ça le bras en écharpe ![4] Une manœuvre, tout simplement

ROGER. Monsieur !

CASTEL-BÉNAC. Une manœuvre scélérate[5] pour pré

---

[1] hyphen. Le nom de Castel-Bénac s'écrit avec un trait d'union
tandis que la préposition " de " indique que Roger appartient à un
famille noble. [2] lights for the stockyard. [3] refrigeration plant at th
Morgue. [4] in a sling. [5] of a scoundrel.

rer un chantage [1] odieux, c'est puant,[2] monsieur, c'est
uant !

SUZY. Voyons, Régis !

ROGER, *stupéfait et blessé.* Quoi ! Vous oseriez vrai-
ent supposer . . .

CASTEL-BÉNAC. Est-ce que vous me prenez pour un
ouveau-né ? Vous pensez bien que j'ai fait ça avant
ous, hein ?

ROGER, *souriant.* Dans ce cas, mon cher, vous con-
aissez donc parfaitement la force de ma position. Je
ous tiens à la gorge, c'est un fait. Et je vous le demande
a toute conscience: que penseriez-vous de moi si vous
ous en tiriez à moins de cent mille ?

CASTEL-BÉNAC. Je penserais que vous êtes un ami.
(*Il lui tend la main.*) Allons, Roger, vous êtes un
mi !

ROGER, *il lui serre la main.* Eh bien, oui, je suis un
mi. Mais je tiens à conserver votre estime. C'est cent
ille ou rien.

SUZY. Allons, Roger. Régis ira jusqu'à soixante,
ais faites un effort.

ROGER. Chère mademoiselle, récapitulons [3]: j'ai in-
enté une histoire de retour de manivelle [4] qui risque de
évaloriser [5] ma voiture quand je voudrai la revendre;
ai cherché des mots spéciaux dans un ouvrage de méde-
ne; j'ai porté le bras en écharpe pendant quinze jours.
râce à quoi j'ai endormi Monsieur, je l'ai tenu le bec dans
eau [6] jusqu'à maintenant. Est-ce que ça ne vaut pas
uelque chose ? Allons, si vous êtes beau joueur, vous
lez me donner cent mille et nous resterons bons amis.

---

[1] *blackmail.* [2] *foul.* [3] *let us sum up the matter.* [4] *a back kick
the crank.* [5] **diminuer la valeur de.** [6] *I've " strung him along."*

CASTEL-BÉNAC. Jeune homme, s'il vous manq
quelque chose, ce n'est sûrement pas le toupet.[1]

ROGER. Mais non, mon cher, mais non ! Voulez-vo
écouter mon raisonnement ? La petite comédie que je vo
5 ai jouée, ce n'est déjà pas très chic de ma part; mais si
n'en retire aucun bénéfice, alors ça devient positiveme
malhonnête !

SUZY. Vous avez bien des scrupules !

ROGER. Et puis, je me connais: il y a une questi
10 d'amour-propre. Si j'avais réussi ce coup-là pour rie
je serais complètement démoralisé, je n'aurais plus aucu
confiance en moi !

SUZY. Alors, tout compte fait, que demandez-vous

ROGER. Soixante-dix pour les balayeuses et tren
15 pour l'olécrane.[2]

CASTEL-BÉNAC, *avec un grand calme.* Eh bien, jeu
homme, apprenez ceci: je n'aime pas beaucoup que l'
se moque de moi. Vous n'aurez ni cent mille, ni vingt-cir
mille, ni rien du tout. (*Il éclate brusquement.*) Mais c'e
20 tout de même un peu fort.

SUZY. Attendez, Régis, on pourrait peut-être ...

CASTEL-BÉNAC. Non, non, puisque je me trouve
face d'un fou, j'aime mieux renoncer à l'affaire. Je fer
annuler le crédit. (*Noble.*) Et la ville se passera de bal
25 yeuses parce que ce jeune homme est un mauvais citoyer

ROGER. Monsieur ?

SUZY. Régis, vous êtes vraiment dur pour Roger !

CASTEL-BÉNAC. Un mauvais citoyen et un mauva
Français.

30 ROGER. Halte là, monsieur. Vous portez atteinte
mon honneur !

___
[1] lit., 'wig'; here, de l'audace, *nerve.* [2] Cf. page 65, note 5.

CASTEL-BÉNAC, *brusquement pathétique*. Ce n'est pas votre honneur que je m'adresse, c'est à votre cœur. oyons, monsieur Roger de Berville, ne ferez-vous pas 1 petit sacrifice pour adoucir le sort des balayeurs?[1] ongez aux malheureux qui, chaque jour, à l'aube,[2] 5 isissent à pleines mains un manche rugueux[3] et oussent au ruisseau les débris de la veille... Au ngtième siècle, supporterons-nous qu'un homme, un ecteur,[4] use ses forces à des besognes dégradantes quand machinisme[5] nous permet de le remplacer par une voi- 10 re propre, efficace et d'aspect coquet?[6] Supporterons- ous...

ROGER. Supporterons-nous qu'il nous répète tout son scours du conseil municipal? (*Il rit.*)

CASTEL-BÉNAC. Monsieur, si vous riez de ces choses-là, 15 ous n'avons plus rien à nous dire. Adieu, monsieur.

SUZY. Régis, ne vous froissez[7] pas pour si peu de iose...

CASTEL-BÉNAC. Mademoiselle, je suis un élu du uple[8]; je n'ai pas le droit de me laisser insulter... 20

SUZY. Mais qui vous insulte?

CASTEL-BÉNAC. Si ce margoulin[9] ne respecte pas ma ersonne, qu'il respecte au moins mes fonctions.

ROGER. Mademoiselle, je ne puis soutenir ce ton. ouffrez que je vous présente mes hommages.   25

SUZY. Vous n'avez même pas goûté à ce bon vin!

CASTEL-BÉNAC. Non, non, c'est fini. Pas de ba- yeuses, pas d'agence, rien du tout, absolument rien. peut mourir la bouche ouverte au coin d'une

[1] *street sweepers, whitewings.* [2] *at dawn.* [3] *a rough broom handle.* a *voter.* [5] *machinery.* [6] *attractive;* often means 'cozy.' [7] *fâ- ez.* [8] **celui que le peuple a choisi.** [9] *expert blackmailer.*

route ! Il n'aura plus un sou de moi ! Et qu'il fiche camp ! [1]

ROGER. Monsieur, dans votre famille, on fiche camp; dans la mienne, on prend congé. (*Il s'inclir* 5 *devant Suzy une dernière fois et sort très digne.*)

SCÈNE V

LES MÊMES, moins ROGER

SUZY. Et voilà comment on rate [2] une affaire magn fique ! Est-ce que vous n'auriez pas dû vous méfier plu tôt ?

CASTEL-BÉNAC. Non, que veux-tu. Moi, je suis tro 10 honnête, les canailleries [3] des autres, ça me surpren toujours. (*Il allume un cigare et réfléchit tristement.*) Ah la vie est de plus en plus dure... Mon pauvre pèr m'avait bien dit qu'il faut toujours se méfier d'un ami.. Mais je croyais pouvoir compter sur un complice. I 15 paraît que c'est changé. Quelle époque !

SUZY. J'espère que vous n'allez pas pleurer ?

CASTEL-BÉNAC. Eh non, c'est raté, c'est raté. Voil tout !

SUZY. Alors, vous admettez que cette affaire tomb 20 à l'eau ?

CASTEL-BÉNAC. Que veux-tu que je fasse ?

SUZY. Mais vous connaissez pourtant d'autres prête noms ! [4] Tâchez donc de joindre Ménétrier !

CASTEL-BÉNAC. Il est à Madagascar ! [5]

---

[1] expression populaire pour « s'en aller ». (Elle ne vaut pas l peine qu'on l'apprenne.) [2] **manque**, *misses (out on)*. [3] *rascally deeds* [4] une personne qui prête son nom. [5] grande île de la mer des In des, colonie française depuis 1896.

Suzy. Depuis quand?

Castel-Bénac. Il s'est embarqué samedi dernier. On lui a donné une très belle chaîne de montagnes, du côté de Tananarive[1]... Il est allé là-bas pour la vendre aux gens qui l'habitent.   5

Suzy. Mais alors, qui?

Castel-Bénac. Tu vois bien, je réfléchis...

Suzy. Pourquoi ne prendriez-vous pas Malaval?

Castel-Bénac. Il est brûlé![2]

Suzy. Et votre ami Fernet?   10

Castel-Bénac. Trop cher. Depuis que je l'ai fait décorer, il demande du cinquante pour cent.

Suzy. Et Faubert?

Castel-Bénac. Ah! Faubert! Ce serait le rêve[3]... Un bon garçon, celui-là... Un collaborateur adroit,[4] 15 dévoué. Et quelle probité!

Suzy, *elle a pris son livre d'adresses.* Wagram, 86-02.[5]

Castel-Bénac. Plus maintenant, il est en prison...

Suzy. Depuis quand?

Castel-Bénac. Depuis les Porcheries du Maroc.[6]   20

Suzy. Je croyais que c'était une affaire honnête?

Castel-Bénac. Justement. Dans une affaire honnête, on ne se méfie pas. Si ça flanche,[7] on est compromis tout seul... et on ne s'en tire pas.

Suzy. Il faut pourtant en sortir, voyons! Il ne doit 25 pas être difficile de trouver quelqu'un!

Castel-Bénac. Chère amie, on voit bien que vous

[1] ville située sur le plateau central de Madagascar et aujourd'hui siège du gouvernement général de la colonie française.   [2] *done for.*   [3] *That would be ideal.*   [4] **rusé**, *shrewd.*   [5] numéro de téléphone à Paris.   [6] *(the incident of)* the Moroccan Piggeries.   [7] *does not go through.*

n'avez pas étudié le problème. Il n'y a rien d'aussi délica
que le choix d'un prête-nom. Si on prend un homme d'un
honnêteté morbide,[1] il refuse la plupart des affaires qu'o.
lui propose. Et si on prend un homme d'esprit moderne
5 il risque de pousser le modernisme jusqu'à nous vole
nous-mêmes. Les marchés sont faits en son nom. Il peu
garder le bénéfice et tu penses bien que nous n'avons aucu
recours devant les tribunaux ! . . .

Suzy. Évidemment. En somme, il faut quelqu'u
10 qui fasse honnêtement des affaires malhonnêtes.

Castel-Bénac. Non . . . non . . . Employons des mot
innocents, ça nous fera la bouche fraîche. Il nous fau
quelqu'un qui fasse à la manière d'avant guerre des af
faires d'après guerre. Ou alors, un parent, un homme su
15 qui on aurait un moyen d'action, comme l'honneur d
nom ou le sentiment de la famille. Par exemple, ton frère
s'il n'avait pas ce petit casier judiciaire.[2]

Suzy, *brusquement*. Si je trouvais quelqu'un, combie
lui donnerais-tu ?

20 Castel-Bénac. Tu as une idée ?

Suzy. Peut-être.

Castel-Bénac. J'irais bien jusqu'à cinquante mill
pour les balayeuses.

Suzy. Et pour l'agence ?

25 Castel-Bénac. Dix pour cent.

Suzy. S'il acceptait moins, me donneriez-vous l
différence ?

Castel-Bénac. Oui. Dis ton idée.

Suzy. Topaze.

30 Castel-Bénac. Qui ça, Topaze ?

Suzy. Le professeur de Gaston.

---

[1] *excessive.* [2] *police record.*

CASTEL-BÉNAC.   Ce malheureux barbu[1] en chapeau
melon ?[2]

SUZY.   Pourquoi pas ?

CASTEL-BÉNAC.   Ma chère amie, il ne faudrait pas,
pour rattraper vos 150.000 francs de balayeuses, nous lan- 5
cer dans une dangereuse improvisation.[3]

SUZY.   D'abord, ce n'est pas une improvisation. J'y
ai pensé déjà quelquefois, et puis, avec lui, aucun danger.

CASTEL-BÉNAC.   Pourquoi ?

SUZY.   Parce que nous avons sur lui un moyen d'ac- 10
tion.

CASTEL-BÉNAC.   Lequel ?

SUZY.   Moi.

CASTEL-BÉNAC.   Tiens, tiens, amoureux ?

SUZY.   Dès qu'il me voit, il rougit, il bafouille,[4] il est 15
ridicule et touchant. Je suis sûre qu'avec deux mots
j'en ferai ce que je voudrai.

CASTEL-BÉNAC.   On croit ça, et puis quelquefois . . .

SUZY.   Mais non, mon cher. Une femme sent très bien
ces choses-là. Cet homme-là m'aime d'un amour sans 20
espoir, mais définitif. Une sorte d'amour que vous ne
pouvez certainement pas imaginer. Je vous affirme que
nous n'aurons même pas besoin de lui expliquer de quoi
il s'agit; si c'est moi qui le lui demande, il signera n'importe quoi les yeux fermés.   25

CASTEL-BÉNAC.   Oui, peut-être, mais il finira par les
ouvrir. Et alors, s'il pousse des cris affreux ? S'il nous
accuse de l'avoir déshonoré ? S'il se suicide en laissant une
belle lettre pour la police ?

SUZY.   Mais non, mais non ! Je me charge de le calmer 30
avec un peu de comédie.

[1] bewhiskered.   [2] derby hat.   [3] hasty decision.   [4] stammers.

CASTEL-BÉNAC. Oui, un peu de comédie, ou alor
beaucoup d'argent !

SUZY. Comment ça ?

CASTEL-BÉNAC. Quand il connaîtra toutes nos affaires
5 s'il nous faisait du chantage ? [1]

SUZY. Lui ? Allons donc !... Je suis sûre que c'es
un homme absolument désintéressé et parfaitement in
capable...

CASTEL-BÉNAC. Oui, parce qu'il est mal habillé, vou
10 lui prêtez de grands sentiments. Ma chère amie, j'a
connu des maîtres chanteurs [2] qui avaient l'air du Jeun
Homme Pauvre [3]...

SUZY. Mais s'il marche dans vos combinaisons, il n
pourra plus que se taire !

15 CASTEL-BÉNAC. Évidemment, on peut l'embarque
tout de suite dans cinq ou six affaires, et il devient inof
fensif.

SUZY. Et puis, écoutez donc, Régis: nous allons lu
donner le petit logement que j'ai fait préparer pour mo
20 chauffeur, juste au-dessus des bureaux. Et nous auron
sous la main, à toute heure du jour, un collaborateur abso
lument dévoué qui nous devra tout.

CASTEL-BÉNAC. Ma foi, on peut toujours le voir
(*Suzy sonne. Le Maître d'hôtel paraît.*)

25 SUZY. Dites au professeur que je désire lui parler tou
de suite. (*Le Maître d'hôtel s'incline et sort.*)

CASTEL-BÉNAC. « Topaze, agent d'affaires. » Ça n
ferait pas mal sur une plaque [4] de cuivre... Mais, dite
donc, est-ce qu'il va accepter de quitter sa situation

---

[1] *what if he should blackmail us ?*   [2] *expert blackmailers.*   [3] per
sonnage d'un roman du même nom par Octave Feuillet. Cela veut
dire avoir l'air tout à fait innocent.   [4] *plate.*

Suzy. Son directeur, qui est un abominable marchand de soupe,[1] l'a mis à la porte ce matin, à la suite d'une histoire que j'ignore et à laquelle lui-même n'a certainement rien compris.

Castel-Bénac. C'est à voir, c'est à voir... (*Entre* 5 *Topaze.*)

Scène VI

Les mêmes, Topaze

Topaze paraît sur la porte. Suzy se lève et va vers lui.

Suzy, *à Castel-Bénac*. Mon cher ami, permettez-moi de vous présenter M. Topaze, dont nous venons de parler. (*A Topaze.*) M. Castel-Bénac, qui est un grand brasseur d'affaires.[2]   10

Topaze, *s'inclinant profondément*. Monsieur, je suis extrêmement honoré.

Castel-Bénac. Monsieur, l'honneur est pour moi.

Topaze. Monsieur, vous êtes trop bon.

Castel-Bénac. Nullement, monsieur, nullement.   15

Suzy. Asseyez-vous, monsieur Topaze... Vous allez boire un petit verre de vin avec nous.

Topaze. C'est un bien grand honneur pour moi, mademoiselle. (*Il s'assied au bord de la chaise. Pendant les répliques suivantes, Suzy servira le vin.*)   20

Suzy. Je viens de parler de votre cas à M. Castel-Bénac.

Topaze. Mademoiselle, vous êtes mille fois trop bonne.

Suzy. Mais non. Et j'ai le plaisir de vous dire qu'il est tout prêt à s'occuper de vous.

[1] mot habituel pour les directeurs de pensions privées parce que les élèves internes mangent plus souvent de la soupe, plat bon marché.   [2] here, *enterprising man of affairs*.

TOPAZE. Monsieur, je vous en suis bien reconnaissant.

CASTEL-BÉNAC. Mais non, monsieur... L'intérêt que je vous porte est tout naturel. Mademoiselle vient de me dire que vous êtes une valeur.[1]

5 TOPAZE, *modeste.* Oh! monsieur...

SUZY. Mais si, mais si...

CASTEL-BÉNAC. Une valeur qui est en ce moment, disons-le, inemployée.

TOPAZE. Oui, en somme, c'est le mot.

10 SUZY. Eh bien, M. Castel-Bénac veut exploiter lui-même cette valeur.

TOPAZE. Exploiter lui-même cette valeur. (*Elle lui tend un verre.*) Merci, mademoiselle.

SUZY. Est-ce que vous tenez beaucoup à rester dans 15 l'enseignement?

TOPAZE. A rester dans l'enseignement? Mon Dieu, oui, mademoiselle.

SUZY. Pourquoi?

TOPAZE. Parce que c'est une profession très considérée, 20 peu fatigante et assez lucrative.

CASTEL-BÉNAC, *coup d'œil vers Suzy.* Assez lucrative. Fort bien.

SUZY. Qu'espérez-vous gagner en donnant des leçons?

TOPAZE. Je ne le sais pas encore exactement, mais je 25 connais des professeurs libres [2] qui se font jusqu'à douze cents francs.[3]

SUZY. Par mois?

TOPAZE. Oui, mademoiselle. Il est vrai qu'un professeur a des frais de tenue, n'est-ce pas, puisqu'il peut être

---

[1] **un homme de grande valeur.** [2] qui ne donnent que des leçons particulières. [3] Ce n'est certainement pas la fortune, au contraire.

appelé à converser avec des personnes de la meilleure
société. Mais quand on gagne douze cents francs...

CASTEL-BÉNAC. C'est évidemment très beau.

TOPAZE. Cette question de gain est un peu vulgaire,
mais elle a son importance. L'argent ne fait pas le bon- 5
heur. Mais on est tout de même bien content d'en avoir.
(Il rit.)

CASTEL-BÉNAC rit. Nous en sommes tous là.[1]

SUZY. La situation que Monsieur va peut-être vous
offrir vous permettrait de gagner davantage. 10

CASTEL-BÉNAC. Pas beaucoup plus, mais un peu plus.
Oui, un peu plus. Je pourrais vous donner un fixe et une
petite prime pour chaque affaire. Vous toucheriez en
moyenne deux mille cinq cents francs.

TOPAZE. Par mois? 15

SUZY. Oui.

TOPAZE. Pour moi?

CASTEL. Oui.

TOPAZE, confus, il se lève. Pour des leçons de quoi?

SUZY. Il ne s'agit pas de leçons. 20

CASTEL-BÉNAC. Il s'agit de remplir auprès de moi
certaines fonctions assez... comment dirai-je? non pas
difficiles, mais délicates...

TOPAZE. Ha! ha!... Mais ces délicates fonctions,
serai-je capable de les remplir? 25

SUZY. Pourquoi pas?

CASTEL-BÉNAC. Nous allons le voir. Voulez-vous me
permettre de vous regarder un moment?

TOPAZE. Mais, c'est tout naturel, monsieur. (Régis
examine Topaze qui rougit, baisse les yeux. Régis passe 30
derrière Topaze et cligne un œil [2] vers Suzy.)

[1] We've all come to that conclusion.   [2] winks.

CASTEL-BÉNAC. Bien. Puis-je vous poser quelques questions ?

TOPAZE. Bien volontiers.

CASTEL-BÉNAC. Avez-vous de la famille ?

5 TOPAZE. Hélas ! non. Je suis seul au monde. Oui tout seul.

CASTEL-BÉNAC. Bravo, c'est parfait. Je veux dire que c'est bien triste, mais c'est le destin. Quelles sont vos relations habituelles ?

10 TOPAZE. Mes collègues ... Je veux dire mes anciens collègues de la pension Muche. Et je vois aussi quelquefois un camarade de régiment[1] qui est maintenant garçon de café.

CASTEL-BÉNAC. Je vous demanderai de fréquenter 15 ces braves gens le moins possible[2] et, en tout cas, de ne pas les recevoir dans nos bureaux. Ni même chez vous.

TOPAZE. Chez moi ?

CASTEL-BÉNAC. Car il faudra que vous habitiez ici.

TOPAZE. Ici ?

20 SUZY. Les bureaux sont dans l'immeuble[3] voisin et votre petit logement est au-dessus.

TOPAZE. Mais ces fonctions, de quelle nature sont-elles ?

CASTEL-BÉNAC. Eh bien, mon cher Topaze ... Vous 25 me permettez de vous appeler mon cher Topaze ?

TOPAZE. C'est un grand honneur pour moi, monsieur.

CASTEL-BÉNAC. Eh bien, mon cher Topaze — asseyez-vous — je vais ouvrir une nouvelle agence d'affaires. 30 Et comme je suis débordé de travail, il me faut un homme

---

[1] Topaze a fait son service militaire dans le même régiment que lui. [2] *as little as possible.* [3] *apartment building.*

le confiance. L'agence portera son nom et il en sera, en
somme, le véritable directeur.

Suzy. Voilà le poste que Monsieur vous destine.

Topaze. Mais, mademoiselle, un directeur ... dirige.

Suzy. Exactement.   5

Topaze. Suis-je capable de diriger ?

Suzy. Pourquoi pas ?

Topaze. Mademoiselle, cette confiance m'honore,
mais je crains que vous n'ayez une trop bonne idée de mes
capacités.   10

Suzy. Mais non ... Vous êtes professeur, monsieur
Topaze.

Topaze. Justement, mademoiselle. Je suis professeur. C'est-à-dire que, hors d'une classe, je ne suis bon à
rien.   15

Castel-Bénac. Allons, cher ami ... Vous savez
dicter ?

Topaze, *il s'éclaire.* Oh ! pour ça, oui.

Suzy. Vous dicterez le courrier aux dactylos[1] et vous
surveillerez leur orthographe.[2]   20

Topaze, *joyeux.* Pour l'orthographe, je m'en charge.

Castel-Bénac. Et vous savez signer ?

Topaze, *enthousiaste.* Naturellement ! Je ne dis pas
que j'ai une jolie signature, mais elle est très difficile à
imiter. Aucun de mes élèves n'y a jamais réussi.   25

Castel-Bénac. Eh bien, vous signerez à ma place, voilà
tout.

Suzy. Que pensez-vous de cette proposition ?

Topaze. Ce que j'en pense ? C'est la plus belle chance
de ma vie et c'est à vous que je la dois ... mais j'hésite à 30
l'accepter.

---

[1] *stenographers.*   [2] *spelling.*

Suzy. Pourquoi?

Castel-Bénac, *brusquement, à lui-même.* Ah! Boi
Dieu! Zut!¹ J'avais oublié ça!

Suzy. Quoi donc?

5 Castel-Bénac, *à Topaze.* Où êtes-vous né?

Topaze. Moi? A Tours.²

Castel-Bénac. Alors, c'est fini pour les balayeuses.

Topaze. Parce que je suis Tourangeau?³

Castel-Bénac, *à Suzy.* On n'a pas le temps de faire
10 venir ses papiers d'état civil.⁴

Suzy. Ah! c'est vrai!

Topaze, *souriant.* Les voici!

Castel-Bénac. Comment?

Suzy. Vous les portez sur vous?

15 Topaze. Par hasard! C'est mon dossier⁵ que M
Muche m'a rendu ce matin.

Castel-Bénac, *à Suzy.* Ah! ça, c'est épatant!⁶

Suzy. Vous voyez bien que c'est Dieu qui l'envoie!

Topaze. Oh! non, mademoiselle, c'est tout simplement
20 M. Muche.

Suzy, *à Castel-Bénac.* Qu'en dites-vous?

Castel-Bénac. Mais il est parfait! Il est certain que
nous avons là toutes les pièces nécessaires.

Suzy. Alors, il peut signer les balayeuses?

25 Topaze. Ha! ha!... Me voilà déjà en pays inconnu

Castel-Bénac, *à Suzy.* Vous êtes d'avis qu'on le fasse
marcher si vite?

Topaze. Mais oui, monsieur... Faites-moi marcher
tout de suite, n'hésitez pas.

¹ *The deuce! Darn it all!* ² capitale de l'ancienne province de
Touraine. ³ *a native of Touraine.* ⁴ *civil papers* (such as birth
certificate, police record, etc.). ⁵ *file, documents.* ⁶ **merveilleux**

Suzy, *à Castel-Bénac.* Que risquons-nous ?

Topaze. Absolument rien. Je ne dis pas que je réussirai du premier coup, mais je puis toujours essayer.

Castel-Bénac, *à Suzy.* Vous en prenez la responsabilité ?

Suzy. Absolument.

Castel-Bénac. Eh bien, soit ! (*A Topaze.*) Je vais d'abord vous donner une petite signature. (*Topaze tire son stylo de sa poche. Castel-Bénac a tiré son carnet de chèques.[1] Il signe et lui tend un chèque.*)

Topaze, *il lit.* Payez à l'ordre d'Albert Topaze la somme de cinq mille deux cents francs. Pourquoi ?

Castel-Bénac. Votre commission sur l'affaire et un mois d'avance.

Topaze. Cinq mille deux cents francs . . . (*Il les regarde l'un après l'autre, puis, consterné.*) Ah ! . . . grands Dieux . . .

Suzy. A quoi pensez-vous ?

Topaze, *ému, mais digne.* J'ai, mademoiselle, une assez grande expérience de la vie. Et je sais bien que l'on n'offre pas des fonctions aussi grassement[2] payées à un homme incapable de les remplir.

Castel-Bénac. Mais, puisqu'on vous dit . . .

Topaze. On ne me dit pas tout. Votre bienveillance[3] cache quelque chose, et je sais bien quoi. Mademoiselle, je vous remercie, mais je n'en suis pas encore là.[4]

Suzy, *un peu troublée, mais souriante.* J'avoue que je ne comprends pas ! (*Régis reprend vite les papiers étalés sur la table.*)

Topaze. Ah ! mademoiselle, n'est-il pas visible que

---

[1] *checkbook.*   [2] **généreusement,** *liberally.*   [3] *kindness.*   [4] *I haven't come to that yet.*

cette histoire d'agence et de balayeuses n'est qu'une façon
déguisée de me faire la charité ? (*Castel-Bénac pousse un
grand soupir de soulagement* [1] *et éclate de rire.*)

Suzy. Mais qu'allez-vous imaginer ? Croyez-vous
5 que je me serais permis une chose pareille ?

Castel-Bénac. Mon cher ami, vous vous trompez
complètement ... Je vous donne ma parole d'honneur
que vous pouvez me rendre les plus grands services.

Topaze, *convaincu.* Votre parole d'honneur ?

10 Suzy. Faut-il que je vous fasse un grand serment ?

Topaze, *illuminé.* Mais alors, c'est trop beau ...

Castel-Bénac. Signez donc, cher ami ... Et inscrivez sous votre nom: « Agent d'affaires. »

Topaze, *le stylo à la main.* Monsieur, mademoiselle,
15 c'est avec une émotion profonde et une définitive gratitude
que je vous donne cette signature. (*Il signe. Régis prend
les papiers.*)

Castel-Bénac. Bien ! mon cher directeur, je vous
remercie. Je serai de retour dans une demi-heure, et, si
20 vous voulez bien m'attendre, nous pourrons causer plus
longuement.

Suzy. Eh bien, j'espère que vous êtes content ?

Topaze. Comment vous témoigner mon dévouement ?

Castel-Bénac. D'abord, en changeant de chapeau.

25 Suzy. Régis !

Castel-Bénac. Oui. M. Topaze a un très joli chapeau
de professeur, mais, maintenant, il lui faut un feutre
d'homme d'affaires.

Topaze. Bien. Et ensuite ?

30 Suzy. Ensuite, remplissez scrupuleusement vos fonctions. Pour le moment, il ne faut que signer et vous taire.

[1] *relief.* [2] *felt hat.*

TOPAZE, *surpris*. Me taire ?

SUZY. Oui. En affaires, la première qualité, c'est ! discrétion.

CASTEL-BÉNAC. Très important ! Secret professionne.

5 TOPAZE, *il est visiblement flatté*. Comme pour un mé decin ?

SUZY. Exactement.

CASTEL-BÉNAC. Reprenez votre chèque. A tout l'heure, mon cher directeur, j'aurai d'ailleurs quelque

10 signatures à vous demander. Vous me permettez de vou enlever mademoiselle pour quelques instants ?

TOPAZE. Bien volontiers, monsieur.

SUZY, *coquette*. Comment ? Bien volontiers ?

TOPAZE. C'est-à-dire que ... Hum.

15 CASTEL-BÉNAC. Oui, hum ... (*A Suzy.*) Il est inouï (*Ils sortent.*)

SCÈNE VII

TOPAZE seul, puis LE MAÎTRE D'HÔTEL et ROGER

Topaze reste seul quelques secondes. Il sourit, il regarde le chèqu. puis il murmure.

TOPAZE. Monsieur le directeur ... mon cher dire teur ... (*Il regarde encore le chèque. Il murmure.*) Cin mille deux cents francs ... (*Et après un court calcul men*

20 *tal.*) Trois cent quarante-six leçons à quinze francs .. Ah ! les affaires, c'est inouï ... (*Temps.*) Quand Tamis va savoir ça ! Lui qui me traitait d'arriviste ![1] (*U temps.*) Il avait peut-être raison ! (*Entre le Maître d'hôt qui précède le jeune Roger.*)

25 LE MAÎTRE D'HÔTEL. Je vais prévenir Mademoisell ROGER. Bien, allez.

[1] *ambitious and unscrupulous.*

Scène VIII

Topaze, Roger

Topaze a remis son chèque dans sa poche. Il feint de regarder de près les tableaux. Roger l'examine, puis s'assoit. Il paraît légèrement inquiet. Enfin, après quelques regards, Roger le salue d'un signe de tête. Topaze répond en s'inclinant profondément et reprend sa contemplation des tableaux. Roger se lève et vient regarder le même tableau.

ROGER. Vous aimez beaucoup la peinture ?

TOPAZE. Oui, j'en suis curieux. (*Un temps.*)

ROGER. Vous peignez peut-être vous-même ?

TOPAZE. Non, monsieur.

ROGER. Vous êtes peut-être marchand de tableaux ? 5

TOPAZE. Non. (*Un temps.*) Je suis dans les affaires.

ROGER. Ah ? Moi aussi. (*Un temps.*) Vous êtes des amis de Castel-Bénac ?

TOPAZE. Je ne puis pas dire que je sois de ses amis, quoiqu'il me témoigne beaucoup d'amitié. Je suis simple- 10 ment son collaborateur.

ROGER. Depuis longtemps ?

TOPAZE. Mon Dieu, non. Depuis quelques minutes, mais pour longtemps, je l'espère.

ROGER, *il change de ton.* C'est-à-dire que c'est vous qui 15 faites les balayeuses ?

TOPAZE, *distant.* Monsieur, en affaires, la première qualité c'est la discrétion.

ROGER. Surtout pour ces affaires-là.

TOPAZE, *innocent et mystérieux.* Peut-être. 20

ROGER. Non, pas peut-être. Sûrement. Vous pensez si je connais le coup [1] des balayeuses ! Je connais même

---

[1] *business.*

un monsieur qui l'aurait fait s'il avait consenti à travailler
au rabais.[1] Comme vous.

TOPAZE. Comme moi ? Au rabais ? (*Il a un sourire
ironique.*) Au rabais ! (*Il rit comme quelqu'un à qui on
5 vient de dire une bien bonne histoire.*)

ROGER. Entre nous, qu'est-ce qu'il vous donne ?

TOPAZE. Cette fois, je puis vous répondre puisqu'il
s'agit de moi-même. Voyez. (*Il montre le chèque.*)

ROGER. Cinq mille deux cents. C'est votre commission

10 TOPAZE. Mon fixe et ma commission.

ROGER. Dites donc, vous rigolez ?[2]

TOPAZE. Un peu. (*Roger recule et regarde Topaze avec
stupeur.*) Je n'ai eu d'ailleurs aucun mérite à obtenir cette
somme, c'est lui-même qui me l'a proposée.

15 ROGER. Cher monsieur, en affaire il est souvent très
bon de prendre l'air idiot, mais vous poussez la chose un
peu loin.

TOPAZE, *digne et froid.* Monsieur, il m'est pénible de
m'entendre appeler idiot par une personne que je ne connais
20 pas. Par égard pour la maison de notre hôtesse, il vaut
mieux arrêter là cette conversation. (*Il lui tourne le dos.*)

ROGER. Vous avez tort de faire tant de dignité devant
un homme qui vous reverra sans doute quelque jour en
correctionnelle.[3]

25 TOPAZE, *effaré.* Correctionnelle ?

ROGER. Peut-être plus tôt que vous ne pensez. Ce
n'est pas moi qui irai vous dénoncer, certes non, mais il y a
cinq ou six personnes qui sont au courant et qui risquent
de manger le morceau.[4] Si vous avez marché à ce prix-là
30 pour une pareille responsabilité, alors, c'est navrant ![5]

---

[1] *at a reduced price.* [2] *you are joking?* [3] *in the police court.*
[4] se décider à parler, faire des révélations. [5] *heart-rending, harrowing.*

TOPAZE. Voyons, monsieur, vous me donnez l'impression que vous parlez de cette affaire comme si elle n'était pas rigoureusement honnête. (*Roger rigole [1] doucement*.) Monsieur, je vous somme [2] de vous expliquer.

ROGER. De toutes les canailleries [3] que cette vieille 5 ripouille [4] a montées,[5] l'affaire des balayeuses est celle qui présente les plus grands dangers.

TOPAZE. Mais à qui, dans votre pensée, s'applique ce terme de vieille fripouille ?

ROGER. A notre brillant conseiller municipal.   10

TOPAZE. Quel conseiller municipal ?

ROGER. Comment ? vous ne savez même pas que Castel-Bénac est conseiller municipal ?

TOPAZE. Mais non !

ROGER. Alors vous ignorez le genre de services qu'il 15 attend de vous ?

TOPAZE. Je dois le seconder et signer à sa place, tout simplement.

ROGER. Tout simplement. Oh ! celui-là, alors, il est inouï ! Mais d'où sortez-vous ?   20

TOPAZE. De l'enseignement.

ROGER. Ah ! malheur ! j'aurais dû m'en douter. Allez, mon pauvre monsieur, si vous savez où est votre chapeau, prenez-le et fichez le camp.[6] Vous n'avez rien à faire ici.

TOPAZE, *enflammé*.[7] Ah ! non, monsieur, on ne diffame 25 pas ainsi les gens sans apporter des précisions. De quoi accusez-vous mon bienfaiteur ?

ROGER. Mon cher monsieur, votre « bienfaiteur » profite simplement de son mandat politique [8] pour faire

---

[1] *laughs.*   [2] *call upon.*   [3] *rascally tricks.*   [4] *rogue, knave.*   [5] *has planned, has "cooked up."*   [6] expression populaire qui signifie « allez-vous-en ».   [7] *provoked.*   [8] *electoral mandate.*

voter l'achat de n'importe quoi et il fournit lui-même c‹
n'importe quoi sous le couvert d'un prête-nom.[1]

TOPAZE. Mais ce serait de la prévarication.[2]

ROGER. Peut-être !

5 TOPAZE, *indigné.* La forme la plus honteuse du vol !

ROGER, *souriant et désabusé.* Oh ! mon Dieu, vou‹
savez, il ne l'a pas inventé, c'est la base même de tous le‹
régimes démocratiques. (*Un temps.*) Des autres aussi
d'ailleurs.

10 TOPAZE, *il crie.* Des preuves, donnez-moi de‹
preuves . . .

ROGER. Écoutez donc: je veux bien éclairer votr‹
lanterne,[3] mais vous ne direz jamais d'où vous viennen‹
ces renseignements ?

15 TOPAZE. S'ils sont exacts, je vous promets le silence

ROGER. Eh bien, passez un instant à côté. Sur l‹
bureau il y a des dossiers,[4] ouvrez donc le premier venu;
si l'enseignement ne vous a pas absolument détruit, vous
serez vite renseigné.

20 TOPAZE. Bien, mais si vous m'avez menti, je revien‹
vous jeter à la porte !

ROGER. Oui, c'est ça. (*Topaze sort.*) Sainte innocence ‹

Scène IX

ROGER, SUZY, CASTEL-BÉNAC

Entre Suzy. *Elle paraît étonnée de voir Roger et elle cherche Topaze
du regard.*

SUZY. Re-bonjour. Vous avez eu un remords ?

ROGER. Non, mademoiselle, un regret. J'ai regretté

---

[1] celui qui prête son nom. [2] *betrayal of trust.* [3] *enlighten you.*
[4] *files.*

cette rupture quand j'ai réalisé [1] qu'elle me priverait du
plaisir de vous voir.

SUZY. Flatteur...

ROGER. Et je reviens faire la paix avec Castel-Bénac.

SUZY. Mon cher ami, la paix est toute faite... A 5
l'heure actuelle, il a certainement oublié la discussion de
tout à l'heure... Mais pour repêcher [2] les balayeuses, je
crains qu'il ne soit trop tard... J'ai l'impression qu'il est
allé chercher quelqu'un...

ROGER. Oui, j'en ai comme une intuition. Mais s'il 10
ne trouve personne, ou si la personne qu'il aura trouvée ne
lui offrait pas une sécurité complète, j'espère que vous me
rappellerez au bon souvenir de notre ami.

SUZY. Soyez certain que je n'y manquerai pas, et je
suis touchée de cette démarche... 15

ROGER. D'ailleurs, mademoiselle, s'il était impossible
de rattraper l'affaire, je voudrais que vous rassuriez notre
ami sur mes intentions à son égard. Dites-lui bien, mademoiselle, je vous en prie, que, malgré la façon un peu
cavalière dont il en use envers moi, il ne saurait être 20
question, entre nous, de représailles.[3]

SUZY. Quelles représailles ?

ROGER. Je pourrais par exemple le taquiner [4] par des
échos dans les journaux ou me divertir [5] par l'envoi de
lettres non signées qui donneraient à ses ennemis les 25
moyens de lui nuire [6]... Je tenais à vous dire, mademoiselle, que je ne le ferai pas.

SUZY. Mais, cher ami, j'en suis bien certaine... D'a-

---

[1] « Réaliser » dans le sens de « se rendre compte » (*to realize*) est
tout à fait moderne.   [2] *get back to*, lit., ' fish out.'   [3] *reprisals, be-*
tween us, are quite out of the question.   [4] *tease.*   [5] **m'amuser.**
[6] *hurting him, doing him harm.*

bord parce que vous êtes gentilhomme. Et ensuite parce
que vous n'avez aucun intérêt à dévoiler [1] des histoires
dans lesquelles vous avez joué un rôle important.

ROGER. C'est vrai. Mais il a fait sans moi d'autres
affaires et beaucoup de gens les connaissent... Si, par
exemple, il avait des ennuis pour les balayeuses, je tiens à
vous dire à l'avance qu'ils ne viendraient pas de moi.

SUZY. J'en suis absolument persuadée...

ROGER. Je vous en remercie, mademoiselle.

CASTEL-BÉNAC, *entrant*. Vous êtes encore là ?

ROGER. Oh ! cher ami, je disais à Mademoiselle que si,
par hasard, vous aviez besoin de moi je serai jusqu'à
minuit à Passy virgule un [2] tout seul. (*Il sort.*)

SCÈNE X

SUZY, TOPAZE, CASTEL-BÉNAC

CASTEL-BÉNAC. Lessivé ! [3] Les balayeuses, bztt ! Ah !
je suis content de ne plus travailler avec cette fripouille.[4]

SUZY. Vous avez déposé le dossier ? [5]

CASTEL-BÉNAC. Oui, maintenant l'affaire est réglée.
Où est ton protégé ?

SUZY. Je pense qu'il visite les bureaux.

CASTEL-BÉNAC. Il est très bien ce garçon. Il me plaît
beaucoup. C'est le type même de l'abruti [6]... (*Entre Topaze.*) Eh bien, cher ami. (*Il va vers lui. Topaze s'écarte.*)

TOPAZE, *mélodramatique*. Mademoiselle... Savez-vous
qui est M. Castel-Bénac ?

CASTEL-BÉNAC, *stupéfait*. Comment, qui je suis ?

SUZY. Quelle étrange question !

[1] révéler. [2] *comma 1*, un numéro de téléphone. [3] *Cleaned up !*
[4] *rogue, knave.* [5] *documents.* [6] personne stupide, imbécile.

TOPAZE. Mademoiselle, ignorez-vous ce que je viens
l'apprendre ?

CASTEL-BÉNAC. Qu'est-ce que c'est que cette plaisan-
erie ?

TOPAZE, *à pleine voix.* Cet homme qui jouit de votre 5
onfiance et que vous honorez de votre amitié, cet homme
st un malhonnête homme.

CASTEL-BÉNAC. Moi !

SUZY. Monsieur Topaze, songez-vous à ce que vous
lites ?   10

TOPAZE. Mademoiselle, écoutez bien les mots que je
prononce. *M. Castel-Bénac est un prévaricateur.*[1]   Il
st donc juste et nécessaire que cet homme soit mis en
prison. J'ai donc bien l'honneur de vous saluer. .

SUZY. Où allez-vous ?   15

TOPAZE, *en sortant.* Chez le procureur de la République.[2]

CASTEL-BÉNAC. Ah ! ça ! Mais . . .

SUZY. Monsieur Topaze, un instant ! (*Elle veut le
retenir.*)   20

CASTEL-BÉNAC, *à Suzy.* Eh bien, chère amie, on peut
lire que vous avez la main heureuse.[3] C'est vous qui
avez choisi cet halluciné ![4]

SUZY. Régis, laissez-nous seuls, je vous prie; je me
charge d'expliquer la chose à Monsieur.   25

CASTEL-BÉNAC. Bien. Expliquez-lui ce que vous
voudrez, mais surtout dites-lui bien que s'il est piqué des
hannetons,[5] moi je le fais boucler[6] chez les fous, et puis
ça ne sera pas long ! (*Il sort.*)

---

[1] celui qui manque aux devoirs de sa charge.   [2] *attorney general.*
[3] *you are always lucky.*   [4] *person subject to hallucinations.*   [5] *stung
by June bugs,* i.e. fou.   [6] **enfermer.**

Scène XI

Suzy, Topaze

Suzy. Monsieur Topaze, voulez-vous me perdre ?

Topaze. Vous ?

Suzy. Moi.

Topaze. Votre sort est donc lié au sien ?

5　Suzy, *elle se laisse tomber sur le divan et dans un souffle elle murmure.* Oui.

Topaze. Vous, complice de ce forban ![1] Vous ! Ah Grands dieux !

Suzy. Vous avez tout compris trop tôt et vous savez 10 dès maintenant ce que je voulais vous dire demain.

Topaze. Mademoiselle, que vouliez-vous me dire ?

Suzy. Mon histoire, ma stupide histoire... Vite, nous avons peu de temps... Écoutez-moi...

Topaze. Je vous écoute, mademoiselle.

15　Suzy. Quand j'ai connu Castel-Bénac, je n'étais encore qu'une enfant. Il fréquentait la maison de mon père, il était le conseil financier de toute ma famille... Il exerçait la profession d'avocat et il faisait de la politique.

Topaze. Naturellement.

20　Suzy. Oui, naturellement. Quand je me suis trouvée seule au monde, je me suis tournée vers lui parce qu'il était l'exécuteur testamentaire [2] de mon père.

Topaze. Je vois ça très bien.

Suzy. Il m'a conseillé de tout vendre: l'usine,[3] les 25 terres, le château, puis je lui ai confié toute ma fortune, et il s'est occupé de placer mon argent.

Topaze. Dans quelles affaires, grands dieux !

---

[1] *freebooter, pirate.*　[2] *executor of the will.*　[3] *factory.*

Suzy. Je ne le savais pas! De temps à autre, il me
faisait signer des papiers auxquels je ne comprenais rien,
sinon qu'il s'agissait de contrats avec la ville...

Topaze. Vous avez signé?

Suzy. Oui.   5

Topaze. Vous eussiez[1] mieux fait de vous couper la
main droite!

Suzy. Oh! oui, mais je signais sans savoir: comme vous
tout à l'heure.

Topaze. C'est vrai, comme moi!... Et quand avez- 10
vous compris?

Suzy. Trop tard.

Topaze. Pourquoi? Il n'est jamais trop tard!

Suzy. Je pouvais le perdre: je ne pouvais plus me
sauver. Quel tribunal aurait cru à ma bonne foi?   15

Topaze. Mais, mademoiselle, il aurait suffi de raconter
ce douloureux roman comme vous venez de me le raconter.
L'accent de la sincérité ne trompe pas!

Suzy. Oui, peut-être, j'aurais dû le dénoncer dès que
j'ai compris. Mais maintenant je suis perdue, car depuis 20
plus d'un an j'assiste sans mot dire à ces tripotages,[2]
et il m'a bien souvent forcée à y prendre part. Vous m'a-
vez crue complice! Ah! pas complice... victime!
Jugez-moi!

Topaze, *un temps.* Les voilà bien les drames secrets du 25
grand monde![3] Ah! le monstre est complet! Mais
pourtant, mademoiselle, c'est vous, tout à l'heure, qui
m'avez jeté dans ses griffes![4] Pourquoi?

Suzy. Vous n'avez pas compris?

Topaze. Non.   30

Suzy. Que peut faire une femme seule qui se sent au

[1] **auriez.**   [2] *graft.*   [3] *the smart set.*   [4] *clutches*, lit., ' claws.'

pouvoir d'un homme redoutable ? Pleurer ... et chercher
un appui.

TOPAZE, *ébloui*. Et vous m'aviez choisi ? Moi ?
Moi ? ... Pourquoi, mademoiselle, dites-moi pourquoi ?

5   SUZY, *à voix basse*. Je ne sais pas ...

TOPAZE. Mais oui, vous le savez ... Vous le savez,
dites-le-moi !

SUZY. Eh bien ... la première fois que je vous ai vu,
j'ai été frappée, dès l'abord, par votre visage énergique ...
10 (*Topaze prend un air énergique.*) Il m'avait semblé lire
dans vos yeux ... un certain intérêt ... presque une promesse de dévouement ... Je pensais: « Celui-là n'est pas
comme les autres ... Il est simple, intelligent, énergique,
désintéressé ... Si j'avais tout près de moi ... un homme
15 comme lui, je serais protégée, défendue ... peut-être
sauvée ! » (*Elle le regarde en face.*) Me suis-je trompée ?

TOPAZE. Non, non, mademoiselle. Cet immense honneur, je veux en être digne. Mademoiselle, qu'attendez-
vous de moi ?

20 SUZY. D'abord, le silence. Si vous parlez, je suis ruinée,
déshonorée, perdue.

TOPAZE. C'est bien. Je me tairai.

SUZY. Et puis, il faut rester auprès de moi. J'ai tant
besoin de vous !

25 TOPAZE, *tremblant*. Oui, mademoiselle ... Je veux
rester auprès de vous.

SUZY. Merci. (*Elle lui serre les deux mains.*) Merci.
Mais savez-vous à quelle condition ?

TOPAZE. Non.

30 SUZY. Il faut regagner la confiance de notre ennemi.

TOPAZE. Comment le puis-je après les mots que j'ai
prononcés tout à l'heure ?

SUZY. Écoutez mon plan. Il est simple, il est efficace — car cette situation qui est nouvelle pour vous, j'y pense depuis bien longtemps ! Il faut vous installer dans la place — il faut faire bon visage à Castel-Bénac, le seconder dans ses affaires . . . Ainsi, peu à peu, vous l'étudierez, vous chercherez son point faible, vous le trouverez, et quand vous jugerez que vous pouvez le frapper sans l'atteindre, alors vous frapperez !

TOPAZE. Quoi ! Je découvre un criminel, et je deviendrais son complice !

SUZY. Oui, si vous voulez me sauver !

TOPAZE, *un long temps. Il se lève, soupire profondément.* Ah ! Ce débat est cornélien ![1] Quel carrefour ![2] Quel conflit de devoirs ! Ah ! si j'avais seulement une heure pour peser le pour et le contre !

SUZY. C'est tout de suite qu'il faut choisir. Castel-Bénac est dans la pièce à côté. Il croit que je suis en train de vous exposer les avantages de votre complicité et peut-être de vous proposer une augmentation afin de calmer vos scrupules.

TOPAZE. Quelle bassesse ![3]

SUZY. Il faut lui laisser croire que tel fut le sujet de notre conversation. Et, pour le rassurer, il faudrait lui donner très vite une preuve de docilité.[4]

TOPAZE. Oui, évidemment. Mais laquelle ?

SUZY, *elle feint de chercher.* Oui, laquelle ?

TOPAZE. Si je lui serrais la main la première fois que je le verrai ?

---

[1] Pierre Corneille (1606–84) fut le père de la tragédie française. Dans ses tragédies il y avait toujours une lutte entre l'amour et le devoir. C'est le cas dans cette pièce. [2] *crossroads.* [3] *How vile ! What villainy !* [4] *of being easily led.*

Suzy. Il faut le faire, mais ce n'est pas assez.

Topaze.   Si je lui rendais ces papiers en lui disant qu'
tout va bien ?

Suzy.   Excellent ! Mais il faut les lui rendre signés.

5 Topaze.   Pourquoi signés ?

Suzy.   Parce que votre signature signifie que vou'
marchez avec lui et endormira sa méfiance.[1] Donnez
(*Elle prend les papiers.*) Qu'est-ce que c'est que ça ?

Topaze.   Achat de huit maisons à la rue Jameau, pou'
10 les revendre très cher à la ville qui doit exproprier [2] pou'
élargir la rue.

Suzy.   Tenez, asseyez-vous là ... Prenez cette plum'
et signez ici ...

Topaze, *il a une dernière hésitation, il regarde Suzy*
15 C'est difficile.

Suzy.   Pour moi. (*Il signe. Elle lui passe un autr'
papier.*) Celui-ci ... (*Il signe.*) Celui-ci ... (*Il signe.*)

Pendant que le RIDEAU descend.

---

[1] *distrust.*   [2] *buy for public purposes.*

ACTE III

Un bureau moderne tout neuf. Au premier plan,[1] deux énormes fauteuils de cuir, dos au public. Au second plan,[2] un formidable bureau américain. Contre le mur du fond, entre les deux portes, un énorme coffre-fort.[3] Aux murs, des placards sévères portant des inscriptions: « Soyez brefs », « Le temps, c'est de l'argent », « Parlez de chiffres », etc. Au premier plan, à gauche, la porte d'entrée. A droite, sur une autre porte: « Comptabilité.[4] » Sur le bureau: annuaires,[5] bottin,[6] téléphone, un fichier[7] contre le mur.

Scène Première

TOPAZE, LA DACTYLO [8]

Quand le rideau se lève, Topaze est assis derrière le bureau. Il est immobile. On ne voit que le haut de son visage. Il porte maintenant de grosses lunettes à monture d'écaille.[9] Il est très pâle, il paraît anxieux, tourmenté. Au moindre bruit, il tressaille.[10] On frappe à la porte. Il tressaille, il attend. On frappe de nouveau, il se lève, il demande: « Qui est là ? » Une voix répond: « La dactylo. » Il tire le verrou,[11] il laisse entrer une petite dactylo.

LA DACTYLO. C'est un monsieur qui voudrait voir monsieur le directeur. (*Elle tend une carte. Topaze la prend, la lit et frissonne.*)

TOPAZE. Oscar Muche !

LA DACTYLO. Il est avec une jeune fille.

TOPAZE. Ernestine ! ... Que vous a-t-il dit ?   5

LA DACTYLO. Rien. Il attend.

TOPAZE. De quel air ?

[1] *Down stage.* [2] *middle center of stage.* [3] *safe.* [4] *Bookkeeping.*
[5] *telephone books.* [6] *directory.* [7] *filing cabinet.* [8] *stenographer.*
[9] *shell-rimmed.* [10] *gives a start.* [11] *bolt.*

La Dactylo. Il a l'air sévère.

Topaze. Très sévère ?

La Dactylo. Oh ! oui ! et il marche tout le temps.

Topaze. Dites-lui que je suis absent.

5 La Dactylo. Bon !

Topaze. Mais dites-le-lui avec sincérité, d'un to
naturel ...

La Dactylo, *en sortant.* Oh ! j'ai l'habitude ...

Topaze. Ernestine ! Elle était avec lui ! Grand
10 dieux ! (*La Dactylo revient.*)

La Dactylo. Il a dit qu'il reviendrait.

Topaze. Il ne faudra pas le recevoir. Jamais ! Ja
mais ! Vous savez les ordres: dites toujours que je sui
absent et ne recevez personne, entendez-vous ? Personne
15 Allez, retirez-vous, j'ai du travail.

La Dactylo. Je voudrais demander quelque chose
monsieur le directeur.

Topaze. Demandez.

La Dactylo. Est-ce que monsieur le directeur nou
20 permet de faire apporter un piano ?

Topaze. Un piano ? Pour quoi faire ?

La Dactylo. Pour apprendre.

Topaze. Ici ?

La Dactylo. Non, à côté, parce que l'autre dactyl
25 s'ennuie; si on pouvait faire un peu de musique, ça l
distrairait.

Topaze. Évidemment, la musique est une distraction
Si j'étais seul, mademoiselle, je vous accorderais peut-être
cette autorisation. Mais mon associé, M. Castel-Bénac
30 s'y opposera certainement.

La Dactylo. Tant pis !

Topaze. Je profite de cette occasion pour vous dir

'il a vu d'un très mauvais œil[1] les jeux que j'ai
lérés. Il m'a conseillé de vous interdire les cartes, les
•minos et le jacquet.[2] D'autre part, il ne veut pas ad-
ettre la présence des jeunes gens qui viennent parfois
ous tenir compagnie. Il a cru voir en eux des espèces de 5
ancés.

LA DACTYLO, *indignée.* Eh bien, vous pourrez lui dire
•'il s'est joliment trompé. Je n'ai pas de fiancé, et
•ermaine non plus. Ce sont des camarades. On les
mène ici pour jouer. Parce que Germaine a des chagrins 10
•amour et il faut la distraire. Elle veut se mettre à boire.
• vous l'empêchez de vivre, elle deviendra folle.

TOPAZE. Eh bien, je vais parler de tout cela à M.
astel-Bénac. Jusqu'à nouvel ordre, il vaut mieux ne
•ire monter personne et ne jouer à rien. 15

LA DACTYLO. Alors, qu'est-ce que nous allons faire ?

TOPAZE. Attendre.

LA DACTYLO. Attendre quoi ?

TOPAZE. Que je vous donne du travail.

LA DACTYLO. Vous allez nous donner du travail ? 20

TOPAZE. Il est probable que la semaine prochaine je
•us ferai copier une lettre.

LA DACTYLO. Oh ! ça, je m'y attendais ! Depuis
•elques jours, vous avez du parti pris contre nous. On
• peut pas s'y remettre si brusquement. 25

TOPAZE, *avec une colère subite qui rappelle exactement ses
•plosions de la pension Muche.* Mademoiselle, si je vous
•nne l'ordre de me copier une lettre vous me la copierez.
h çà ! vous prenez donc ma bonté pour de la faiblesse ?
•on, mademoiselle. Sachez que le gant de velours cache 30
•e main de fer. Prenez garde, mademoiselle, si vous avez

----

[1] il n'était pas content de voir.   [2] *backgammon.*

le mauvais esprit,[1] je vous briserai ! Allez, et préparez
vous à me copier cette lettre samedi prochain.

LA DACTYLO. Bien. (*Elle va sortir lentement. Topaze
regarde, puis il la rappelle.*)

5 TOPAZE. Mademoiselle ... je viens de vous parler
durement. Ne m'en veuillez pas: les affaires sont les
affaires.

LA DACTYLO, *humble.* Oui, monsieur le directeur. (*Elle
sort.*)

SCÈNE II

TOPAZE, seul, puis SUZY, puis CASTEL-BÉNAC

Topaze est nerveux. Il se promène, l'air sombre, il hoche [2] la tête
il murmure: « L'œil était dans la tombe et regardait Caïn. »
Soudain, le téléphone sonne. Topaze prend le récepteur.[4] Il écoute
Il se pince les narines [5] de la main gauche pour répondre.

10 TOPAZE. « M. Topaze est sorti, monsieur ... Quel
journal ? *La Conscience publique ?* Bien, monsieur ..
Je ne sais pas s'il pourra vous recevoir, monsieur ..
Ce n'est peut-être pas la peine de vous déranger ... Bien
monsieur, je vous remercie. » (*Il raccroche.*[6]) Un journa-
15 liste, naturellement. (*Entre Suzy.*)

SUZY. Bonjour, mon cher Topaze. Comment allez
vous ?

TOPAZE. Aussi bien qu'il m'est possible, mademoiselle
et je vous remercie de l'intérêt que vous voulez bien me
20 porter.

SUZY. Mais, mon cher ami, si je ne m'intéressai
pas à vous, je ne vous aurais pas confié la direction d'une
affaire aussi importante.

[1] *an evil nature.* [2] *shakes.* [3] *La Conscience*, poème de Victor
Hugo. [4] *the receiver.* [5] *nostrils.* [6] *hangs up.*

Topaze. Je vous en suis très reconnaissant, mademoiselle.

Suzy. Où dînez-vous, ce soir?

Topaze. Dans ma chambre.

Suzy. Eh hé! Quelques amis?   5

Topaze. Non, mademoiselle. Solitude et réflexion.

Suzy. Eh bien, ce soir, vous dînez avec moi.

Topaze. Avec vous?

Suzy. Oui. Il y aura aussi Castel-Bénac et quelques amis... Cela vous distraira.   10

Topaze. Je vous demanderai la permission de ne pas accepter cette invitation, car j'aime mieux ne voir personne.

Suzy. Vous refusez?

Topaze. Si vous me le permettez, mademoiselle.   15

Suzy. Même si je vous dis que j'aimerais assez causer avec vous?

Topaze. Non, mademoiselle. D'abord, je ne sais plus causer, et ensuite vous n'y prendriez aucun plaisir.

Suzy. Voyons, mon cher Topaze, qu'avez-vous?   20

Topaze. Je n'ai rien, mademoiselle. Absolument rien.

Suzy. Savez-vous que Castel-Bénac est très inquiet sur votre compte? [1]

Topaze. C'est une grande bonté de sa part.

Suzy. Il vous trouve amaigri [2]... sans entrain [3]...   25

Topaze. C'est un homme qui a du cœur.

Suzy. Qu'avez-vous donc? Vous ne pouvez pas vous habituer?

Topaze. Il y a des choses auxquelles on ne peut pas s'habituer.   30

Suzy. Voyons... vous savez que je suis votre amie?

[1] à votre égard.   [2] thin.   [3] lifeless, lacking in energy.

CE SOIR, VOUS DÎNEZ AVEC MOI.

TOPAZE. Certainement.

SUZY. Eh bien, qu'y a-t-il?

TOPAZE, *brusquement*. Mademoiselle, il y a que je sais tout. Il y a quarante-deux jours que je suis entré dans cette maison et, depuis vingt-trois jours, je sais que vous 5 vous moquez de moi.

SUZY. Si vous continuez à me parler sur ce ton, je crois que je finirai par me moquer de vous!

TOPAZE. Le 5 mai, à 7 heures du soir, je suis allé chez vous, car vous m'aviez invité à dîner. J'attendais 10 dans le petit salon, lorsqu'à travers une porte vitrée j'entendis une conversation effroyable.

SUZY. Effroyable?

TOPAZE. Hideuse. Mais pleine de sens pour moi. M. Castel-Bénac disait: « Mon chéri, pourquoi as-tu 15 invité le sympathique idiot? » et vous avez répondu: « Le sympathique idiot est très utile et il faut un peu l'amadouer.[1] » Le sympathique idiot, c'était moi. Quant au mot « mon chéri », il m'a suffisamment renseigné sur la nature de vos relations avec cet homme. 20

SUZY. Mon cher, si vous ne l'aviez pas compris tout de suite, vous méritiez qu'on vous le cache.[2]

TOPAZE. Cachât![2]

SUZY. Comment, cachât?[2]

TOPAZE. Qu'on vous le cachât.[2] Ainsi, vous avouez! 25 Vous êtes la ... la complice de cet homme détestable.

SUZY. Et après?[3]

TOPAZE. Ah! grands dieux!

---

[1] cajole, wheedle. [2] Suzy qui parle un français courant et naturel se sert du présent du subjonctif. Topaze qui est professeur insiste pour qu'elle se serve du passé du subjonctif ce qui est tout à fait pédant et archaïque. [3] *So what?*

SUZY. Et cette petite aventure prouve une fois de plus
qu'on n'a aucun intérêt à écouter aux portes. Je vous
croyais plus délicat et je trouve que vous avez une bien
vilaine façon d'apprendre des choses.

5   TOPAZE. Ah! mademoiselle! Oseriez-vous dire que
j'aurais accepté cette situation affreuse si vous ne l'a-
viez pas déguisée? Vous m'avez attiré dans un guet-
apens![1]

SUZY. Mais non! C'est le hasard qui vous a conduit
10 ici, au moment où nous cherchions quelqu'un. Et c'est
parce que j'avais pour vous de la sympathie que je vous ai
offert...

TOPAZE. Mademoiselle, si vous aviez pour moi de la
sympathie, vous auriez mieux fait, ce jour-là, de me jeter
15 dans la Seine.[2]

SUZY. Mais quand vous avez accepté...

TOPAZE. J'ai accepté sur un sourire, sur deux mots
de vous, enivré[3] par le conte absurde que votre beauté
m'avait fait croire... J'étais le vaillant chevalier, choisi
20 pour combattre le monstre et délivrer la beauté prison-
nière... Je vivais dans un rêve, dans une atmosphère de
poésie et d'extravagance[4]... Mais le 5 mai, à 7 heures
du soir, je suis retombé sur le sol, et ce sol c'était de la
fange[5] et de la boue.[6]

25 SUZY. Selon ce que m'a dit Régis, vous avez gagné
trente-deux mille francs en un mois. De quoi vous
plaignez-vous?

TOPAZE. De ma conscience.

SUZY. Laissez-la donc tranquille!

30 TOPAZE. Mais c'est elle qui me poursuit, qui me

[1] *trap, ambush.*   [2] le fleuve qui traverse Paris.   [3] *intoxicated.*
[4] i.e. emotional extravagance.   [5] *filth, mire.*   [6] *mud.*

raque,[1] qui m'environne ! Le poids de mes actes m'é-
rase. Caché dans ce bureau, je sens que l'univers m'as-
siège[2]... Ce matin encore, je me suis penché à cette
fenêtre, malgré moi, pour voir passer trois balayeuses qui
portent sur l'avant mon nom en lettres nickelées[3]: « Système Topaze. » Le reflet du soleil sur cette imposture
étincelante[4] m'a forcé de baisser les yeux; j'ai bondi en
arrière, j'ai refermé la fenêtre, mais le bruit de leurs moteurs m'arrivait encore et savez-vous ce qu'ils disaient,
ces moteurs ? Ils disaient: « Tripoteur ![5] Tripoteur !
Tripoteur ! » Et les brosses obliques, en frôlant[6] les pavés,
chuchotaient[7]: « Topaze escroc ![8] Topaze escroc ! »

SUZY. Mais vous êtes fou, mon pauvre ami ! Il faut
parler de ces visions à M. Castel-Bénac !

TOPAZE, *morne*. A quoi bon ! Je sais bien que ce sont
les hallucinations, mais elles me tourmentent nuit et
jour...

SUZY. Parce que vous demeurez ici, enfermé comme un
prisonnier ! Il faudrait profiter de votre situation, voir
des gens, sortir !

TOPAZE. Sortir ! Croyez-vous, mademoiselle, que je
sois en état de soutenir le regard d'un honnête homme ?

SUZY. En admettant que le regard d'un honnête
homme ait quelque chose de particulier, on n'en rencontre
pas tellement ! (*Elle le regarde, surprise par les tics*[9]
nerveux qui l'agitent.) Mais c'est vrai qu'il a l'air d'un
fou ! Topaze, écoutez-moi; en ce moment, vous êtes
malade. Voulez-vous aller passer quelques semaines à la
campagne ? J'expliquerai la chose à Castel-Bénac.

---

[1] *hunts me out, tracks me down.*   [2] *is besieging me.*   [3] *of nickel.*
[4] *dazzling deceit.*   [5] *Grafter !*   [6] *grazing, rubbing.*   [7] *whispered.*
[8] *crook.*   [9] *facial twitchings.*

TOPAZE. Non, non, mademoiselle. Non. Je reste ic
J'attends.

SUZY. Et qu'attendez-vous?

TOPAZE, *solennel*. Ce qui doit arriver.

5 SUZY, *inquiète*. Est-ce que vous nous auriez dénoncés

TOPAZE. Hélas! non... Je n'ai même plus ce cou
rage... Révéler votre indignité,[1] ce serait proclamer mo
infamie... Et puis, vous dénoncer, vous?

SUZY. Pourquoi pas moi?

10 TOPAZE, *rudement*. Allons, mademoiselle, ne feigne
pas. Ce sentiment que je vous tais vous l'avez su même
avant moi. Et vous vous en êtes servie avec une adress
diabolique[2] pour me jeter dans les tourments où je sui
aujourd'hui. Et voyez jusqu'où va ma bêtise: je sais tou
15 et ce sentiment n'est pas mort. Oui, je vous hais et je
vous aime à la fois... Et je sais pourquoi je vous hais
mais j'ignore pourquoi je vous aime... Mais dans tou
ces malheurs et toute cette haine, la seule douceur qui me
reste, c'est de vous aimer toujours.

20 SUZY, *après un silence rêveur*. Vous êtes fou, mais vous
dites parfois des mots gentils.

TOPAZE, *amer*. Oui, gentils.

SUZY. Depuis longtemps, j'attendais cette scène...
Car je savais bien que vous finiriez par apprendre la
25 vérité, et je me demandais avec une certaine inquiétude
ce que vous feriez.

TOPAZE. Vous le voyez, mademoiselle, j'ai maigri,[3]
et c'est tout ce que j'ai pu faire.

SUZY, *sincère*. Mon pauvre ami! Si vous saviez
30 comme parfois je regrette...

TOPAZE. Mais non, vous ne regrettez rien, puisque

---

[1] *baseness.*   [2] *devilish.*   [3] *grown thin.*

vous avez obtenu ce que vous désiriez: un homme de paille [1] soumis et timide; ainsi vous gagnez de l'argent et vous vivez dans une sécurité trompeuse [2] auprès de celui que vous aimez; vous l'aimez, cet homme, cet abominable gredin,[3] cet abcès [4] politique, cette canaille enflée [5] qui verra quelque jour fondre sa graisse [6] jaune au soleil des travaux forcés ! [7]

Suzy. Mais non, mais non ! D'abord, il n'ira jamais aux travaux forcés et ensuite je ne l'aime pas.

Topaze. Vous ne l'aimez pas ?

Suzy. Voyons, Topaze, vous rêvez !

Topaze. Si vous ne l'aimez pas, qui donc aimez-vous ?

Suzy. Personne.

Topaze. Peut-être avez-vous eu, dans votre jeunesse, une déception sentimentale ?

Suzy. Pas du tout ! L'amour ne m'a jamais déçue, je ne lui ai jamais rien demandé.

Topaze. Vous n'avez donc jamais eu de cœur ?

Suzy. Je n'ai jamais eu de temps. J'ai eu des soucis, moi, est-ce que vous croyez que tout le monde a votre chance ?

Topaze. Ma chance !

Suzy. Mais oui ! La fortune vous est venue sans même que vous y pensiez et vous n'avez même pas eu le courage de lui faire bon accueil ! Moi, il m'a fallu la gagner et la gagner vite, sinon, je serais morte d'impatience et de désir. Mais sachez bien que chaque pas que j'ai fait sur cette route, il m'a fallu le préparer et le payer.

Topaze, *faiblement*. Pourtant l'argent ne fait pas le bonheur.

[1] *a figurehead.*   [2] *deceptive, false.*   [3] *scoundrel.*   [4] *abscess.*   [5] *bloated rascal, puffed-up scoundrel.*   [6] *grease.*   [7] *hard labor* (en prison).

SUZY. Non, mais il l'achète à ceux qui le font.[1] Moi
j'ai eu ce que je voulais, et ce que j'ai voulu, je l'ai ! D'ailleurs, je n'ai pas à me justifier devant vous et je ne sais
même pas pourquoi je vous raconte ces choses.

TOPAZE. Peut-être avez-vous pour moi de la sympathie ?

SUZY. Oui, je vous l'ai dit et c'est vrai.

TOPAZE. Mais peut-être un jour, cette sympathie . .

SUZY. Mon cher Topaze, mettons les choses au point [2]
je me suis intéressée à vous parce que j'ai reconnu en vous
la noble, la grandiose, l'émouvante [3] stupidité de mon
père . . . Il avait un petit emploi, plus petit encore que
n'était le vôtre. Il le remplissait, comme vous, avec une
merveilleuse conscience . . . Il est mort pauvre. Pauvre . . . Vous voyez que cette sympathie, ce n'est pas de
l'amour . . . Et d'ailleurs, même si j'avais envie de vous
aimer, je ne me laisserais pas aller.

TOPAZE. Pourquoi ?

SUZY. Parce que vous êtes un homme timide, faible
crédule [4] . . . J'aurais besoin d'un homme qui me traîne
dans la vie et vous, vous n'êtes qu'une remorque. [5]

TOPAZE. Si vous saviez, dans le fond, quel courage
et quelle énergie . . .

SUZY. Non, mon cher. Vous avez des visions, vous
entendez parler les balayeuses ! C'est bien joli, mais ce
n'est pas rassurant. Je ne vous demande que votre
amitié, comme je vous donne la mienne. Et maintenant
que la crise est passée, tâchez donc d'apprendre la vie, je
vous aiderai de mon mieux.

TOPAZE. Avant que vous entriez ici, je vous aimais

[1] *buys it from those who make it.*   [2] *let's get things straight.*
[3] *touching.*   [4] *credulous.*   [5] *something to be towed.*

l'une façon haineuse [1]; et maintenant, même après ces paroles qui ne me laissent aucun espoir, je vous pardonne
de tout cœur ce que vous m'avez fait.

Suzy. Mon bon Topaze ! Ce n'est pas du mal, c'est
du bien !   5

Topaze. Non. Mais puisque vous l'avez fait dans une
bonne intention, je vais vous dire ce que je gardais secret,
ce que... (*Entre Castel-Bénac.*)

Castel-Bénac. Bonjour, mon cher Topaze.

Topaze. Bonjour, monsieur le conseiller.   10

Castel-Bénac. Rien de neuf ?

Topaze. Non, monsieur le conseiller.

Castel-Bénac. Il n'est pas venu un certain monsieur
Rebizoulet ?

Topaze. Non, non. Il n'est venu personne.   15

Castel-Bénac. Eh bien, il viendra quelqu'un, car
vous allez traiter vous-même une affaire. Comme c'est
la première, je l'ai choisie facile, et comme vous faites
toujours une figure d'enterrement,[2] je l'ai choisie gaie.

Topaze. Bien, monsieur le conseiller.   20

Castel-Bénac. Rebizoulet viendra vous voir certainement aujourd'hui.

Topaze. Bien, monsieur le conseiller.

Castel-Bénac. Ce Rebizoulet est propriétaire de la
grande brasserie [3] suisse. Les ouvriers qui travaillent 25
dans les égouts [4] se servent de la bouche d'égout [5] qui se
trouve justement devant sa brasserie. Or, à mesure que
l'été s'avance et que le soleil chauffe, l'odeur qui s'exhale
de ces antres [6] souterrains rend la terrasse de la brasserie
positivement inhabitable, et la clientèle s'en va. Rebi- 30

[1] *filled with hate.*   [2] *have a funereal look.*   [3] *café.*   [4] *sewers.*
[5] *manhole, sewer opening.*   [6] **cavernes.**

zoulet est donc venu me trouver pour me demander la fermeture de cette ouverture.

TOPAZE. Cela se comprend.

CASTEL-BÉNAC. Je lui ai répondu que je n'avais pas le temps de m'en occuper mais que s'il s'adressait à M. Topaze l'ouverture serait sans doute fermée. Il va donc venir et vous le recevrez. Vous lui direz que vous vous chargez d'obtenir la chose, mais que vous avez des frais et que vous exigez, avant toute démarche, une somme de 10.000 francs.

TOPAZE. Mais de quel prétexte puis-je colorer cette demande ?

CASTEL-BÉNAC. Vous n'avez rien à colorer. Vous lui demanderez 10.000 francs. Comme ça. Et il vous les donnera sans aucune difficulté. Alors, je ferai fermer cette ouverture et en ferai ouvrir une autre en face, devant le café Bertillon.

TOPAZE. Mais que dira M. Bertillon ?

CASTEL-BÉNAC. Il viendra vous dire la même chose. Il viendra vous donner 10.000 francs. Et après Bertillon il y en aura d'autres. Avant d'avoir répété cette plaisanterie dans tout l'arrondissement,[1] nous aurons encaissé[2] plus de trois cents billets. C'est une affaire sûre, pratique et même amusante. Nous pourrions faire cinq ou six cafés par an d'une façon régulière ...Vous ne trouvez pas ça rigolo ?[3]

TOPAZE. Si, monsieur le conseiller.

CASTEL-BÉNAC. Eh bien, riez, riez !

TOPAZE. Est-il nécessaire que je reçoive M. Rebizoulet?

[1] *ward.* Paris est divisé en vingt arrondissements; chaque arrondissement est, en effet, une petite ville, ayant un maire et une mairie (*town hall*). [2] **touché,** *received, taken in.* [3] **amusant.**

CASTEL-BÉNAC. C'est indispensable, mon cher!...
Vous êtes ici depuis deux mois. Il faudrait pourtant que
vous commenciez à jouer un rôle actif!... Il est certain
que votre signature pourrait me suffire. Mais je trouve
absurde de vous laisser inemployé... Je voudrais vous 5
former, faire de vous un collaborateur très au courant,
très adroit [1]... Il y a beaucoup d'argent à gagner. Je
serai peut-être député un jour. Je pourrais faire de grandes
choses avec vous!...

TOPAZE. Vous êtes bien aimable, monsieur le con- 10
seiller.

CASTEL-BÉNAC. Ne me donnez plus ce titre. Appelez-
moi patron.

TOPAZE. Oui, patron.

CASTEL-BÉNAC. Dites donc, il faudra téléphoner à 15
l'hôtel de ville [2] pour demander s'ils ne se décideront pas
bientôt à envoyer le chèque des balayeuses.

TOPAZE. Bien, patron. Ils l'ont envoyé.

CASTEL-BÉNAC. Où est-il?

TOPAZE. Dans le tiroir.[3] (Il ouvre le tiroir et en sort le 20
chèque.)

SUZY. Et vous ne pouviez pas le dire plus tôt?

CASTEL-BÉNAC. Mais il faut aller le toucher tout de
suite!... Portez-le donc à la banque Jackson. Je vous ai
fait ouvrir un compte. Versez-le à ce compte. 25

TOPAZE. Bien, patron. Tout de suite?

CASTEL-BÉNAC. Mais oui, tout de suite.

SUZY. La banque est à côté, au coin de l'avenue
Wilson.[4]

TOPAZE. Bien, patron. Alors, j'y vais? 30

[1] clever, shrewd. [2] City Hall. [3] drawer. [4] rue de Paris nommée
après l'ancien président des États-Unis, Wilson.

Castel-Bénac. Mais bien sûr, vous y allez ! (*Topaze prend le chèque, met son chapeau et sort à contre-cœur.*[1])

Scène III

Castel-Bénac, Suzy

Castel-Bénac. Il est toujours aussi abruti.[2]

Suzy. Il se fera. Tout à l'heure, il m'a fait la scène
que nous attendions.

Castel-Bénac. Ah !

Suzy. Il avait compris depuis longtemps et, au fond
il prend ça mieux que je ne l'espérais.

Castel-Bénac. Tu crois qu'on finira par en faire
quelque chose ?

Suzy. Je crois que maintenant il ira de mieux en mieux
Moi, ce n'est pas lui qui m'inquiète, c'est le petit Roger.

Castel-Bénac. Tu l'as vu ?

Suzy. Ce matin.

Castel-Bénac. Qu'est-ce qu'il t'a dit ?

Suzy. Il m'a parlé vaguement du danger qu'il y a à
utiliser[3] des gens maladroits dans des affaires délicates
Il m'a juré encore une fois que si nous avions des ennuis ils
ne viendraient pas de lui. Tu n'es pas inquiet de ce
côté-là ?

Castel-Bénac. Oh ! pas du tout. Il se donne des airs
de maître chanteur,[4] mais c'est par amour-propre.

Suzy. Tu ne crains pas qu'il envoie des échos aux
journaux ?

Castel-Bénac. Mais non. Aucun journal sérieux
n'accepterait une ligne contre moi. Je connais à fond trop

---

[1] *against his wishes, reluctantly.* [2] stupide. [3] se servir de.
[4] *expert blackmailer.*

le canailleries [1] pour qu'on me reproche mes irrégula-
rités.

Suzy. Mais tu ne crois pas qu'une lettre anonyme au
procureur ? [2] ...

Castel-Bénac. Allons, mon petit, quand on a mes   5
relations [3] ...

Suzy. Oh ! les relations ! Tu sais, j'ai vu coffrer [4] des
gens qui tutoyaient [5] des ministres.

Castel-Bénac. Oui, pendant la guerre ... Mais,
maintenant, la vie a repris son cours normal. (*Il sort.*)   10

Scène IV

Suzy, Topaze

Suzy reste seule un instant. Elle examine divers papiers sur le bureau. Soudain, on entend un galop effréné [6] et un remue-ménage [7]
horrible. Topaze paraît sur la porte des appartements de Suzy.
Il est pâle, haletant,[8] hagard. Il court à la fenêtre, il regarde la rue
et il dit: « Sauvé ! » Il ferme à clef toutes les portes.

Suzy, *effrayée.* Qu'y a-t-il ?

Topaze, *hors d'haleine, pâle, défait, se laisse tomber sur
un fauteuil.* Grands dieux ! Je m'y attendais, évidemment ... Mais tout de même ... Ah ! Ah ! (*Il défaille [9]
presque. Il se verse un verre d'eau et le boit en tremblant.*)   15

Suzy. Topaze ! Voyons, Topaze ! Mais parlez donc !

Topaze, *presque à lui-même.* Ils m'ont suivi ... C'était
fatal ... Ils me guettent depuis quinze jours ... Comme
je franchissais le seuil, un agent de police en bras de chemise s'est avancé vers moi. Mais j'ai compris et sans tour-   20
ner la tête, j'ai fui ... Alors, toute une meute [10] s'est mise à

---

[1] *corruption, rascality.*   [2] *attorney general.*   [3] *connections.*   [4] **mettre
en prison.**   [5] employer « tu », la forme intime du verbe.   [6] *wild.*
[7] *disturbance.*   [8] *panting.*   [9] *faints.*   [10] *crowd,* lit., ' pack.'

ma poursuite: mais j'avais des ailes ! J'ai fait deux fois le
tour du pâté[1] de maisons pour les dépister[2] ... Je me
suis jeté dans votre corridor ... et me voici ... Sauvé,
pour le moment, hélas !

5   SUZY.   Eh bien, de pareilles extravagances[3] ne peuvent
plus durer.   Tant que vous avez des visions ici même, ce
n'est rien.   Mais si votre imagination finit par attirer sur
nous ...

TOPAZE.   Ah ! vous doutez, mademoiselle ! Tenez,
10 voyez vous-même. (*Il est allé à la fenêtre et il écarte le
rideau avec des précautions de Peau-Rouge.*) Voyez, mademoiselle, il a repris sa place ...

SUZY.   Mais que voyez-vous donc ?

TOPAZE.   Ce gros homme en bras de chemise, en tablier[4]
15 bleu ...

SUZY.   Eh bien ?   C'est l'épicier[5] du coin !

TOPAZE, *il referme le rideau.*   Non, mademoiselle, non !
Cet homme a trop l'air d'être l'épicier du coin pour qu'il
soit vraiment l'épicier du coin.

20   SUZY.   Mais alors, qui est-ce ?

TOPAZE, *dans un souffle.*   La police !

SUZY.   Est-ce qu'il a l'air de vous surveiller ?

TOPAZE.   Justement, mademoiselle.   Il ne tourne jamais son regard vers mes fenêtres.   Jamais, comprenez-
25 vous ?   Et il y a aussi un faux raccommodeur de para-
pluies.[6]   Quant aux chanteurs des rues, il en passe cinq ou
six par jour.   C'est clair, mademoiselle, c'est clair !   Et
puis, vous ne savez pas tout parce que je vous ai caché
jusqu'ici tous les symptômes de la catastrophe pro-
30 chaine !

---

[1] *block.*   [2] *throw off the track.*   [3] *unusual actions.*   [4] *apron.*
[5] *grocer.*   [6] *umbrella mender.*

SUZY. S'il y a vraiment de pareils symptômes, pourquoi les avez-vous cachés ?

TOPAZE. Parce que je jugeais que je n'avais pas le droit de vous avertir et d'avertir Castel-Bénac. Voici d'abord, mademoiselle, une lettre que j'ai reçue la semaine 5 dernière.

SUZY, *elle lit. Topaze, il y a de l'eau dans le gaz*[1] *et l'œil de la police voit tout . . . Lâche cet os,*[2] *sinon tu es fait comme un rat.*[3] Signé: *Un ami.* C'est une plaisanterie. Une lettre anonyme[4]: Je vous défends de me faire peur 10 avec des sottises[5] de ce genre. C'est absurde.

TOPAZE. Et ceci ? . . . Le journal *la Conscience publique*, numéro de ce matin: *Un scandale à l'hôtel de ville.*[6] — *Le service d'information de* la Conscience publique *est sur la piste*[7] *d'une très grave affaire de concussion.*[8] *Des ren-* 15 *seignements qui nous ont été fournis, il résulte que: 1° un conseiller municipal, après avoir fait voter un crédit important pour l'achat de certains véhicules, aurait fourni lui-même ces véhicules à des prix exorbitants; 2° le prête-nom dans cette affaire serait un malheureux pion*[9] *renvoyé pour* 20 *une affaire de mœurs.*[10] *A bientôt des chiffres, des noms et l'exécution des coupables.* Ces lignes sont encadrées au crayon bleu.

SUZY. Vous en avez parlé à Régis ?

TOPAZE. Non. Que son destin s'accomplisse ! Moi, 25 je ne fuirai pas devant le mien ! Il y a autre chose encore, mademoiselle. Hier matin, devant la porte, en face de la plaque[11] de cuivre, des gens se sont arrêtés . . . Un groupe s'est formé qui bientôt devint une foule . . . Ils ont crié.

---

[1] *something's wrong.*   [2] *bone.*   [3] *done for like a rat.*   [4] *anony-mous.*   [5] *foolishness.*   [6] *City Hall.*   [7] *track.*   [8] *graft.*   [9] *study hall monitor.*   [10] il ne s'est pas conduit comme il fallait.   [11] *plate.*

Suzy. Vous les avez vus ?

Topaze. Oui, mademoiselle, et quand je me suis approché de la fenêtre, alors les cris ont redoublé. Ce n'est pas une hallucination, mademoiselle ! Je les ai vus, je les
5 ai entendus. La société va frapper, il est temps de fuir.

Suzy. Il est absolument impossible.

Topaze. Il est impossible que le châtiment [1] ne vienne pas. Ce dénouement était inévitable parce que la société est bien faite, parce que la faute entraîne fatalement la
10 punition. Si vous avez la chance de recommencer votre vie, souvenez-vous qu'il n'y a qu'une route, le droit chemin.

Suzy. Vous êtes un fou, et je suis bien bête de vous écouter. Quant aux gens que vous dites avoir entendus …
15 Topaze. Ils criaient: « Bravo Topaze !… C'est indigne ! Allez donc chercher la police ! »… Et puis « hou ! [2] ha ha ! Assez ! » (*Soudain dans la rue, les mêmes cris retentissent.*)

Des Voix. Hoho ! [2] Il n'y a pas de quoi rire ! C'est
20 inouï ! Mais allez donc chercher la police ! (*Suzy est stupéfaite. Elle s'approche de la fenêtre, elle recule, effrayée.*)

La Dactylo [3] *ouvre la porte et entre, toute pâle.* Monsieur … c'est la police.

Scène V

Topaze, L'Agent de police, La Dactylo, Suzy

Un agent de police paraît. Topaze recule d'un pas, l'Agent fait un salut militaire.

Topaze. Pouvez-vous m'accorder une minute ?
25 L'Agent. Oui, quoique ça soit un peu pressé. Entrez,

[1] la punition.   [2] *boo !*   [3] *stenographer.*

mademoiselle.   (*Entre la seconde dactylo, visiblement ivre.*[1])

TOPAZE.   Qu'est-ce que c'est ?

L'AGENT.   C'est votre employée qui se met à la fenêtre et qui appelle le monde. Ça a commencé hier matin. Je passe comme d'habitude et je vois, à cette fenêtre, une femme qui jette des prospectus dans la rue, ce qui est un délit.[2]   Naturellement, plusieurs personnes se sont arrêtées.   Moi je fais mon rapport au commissaire.[3]   Il me dit: « Pas de gaffe,[4] quoi ?   C'est le bureau de M. l'ingénieur Topaze, celui des balayeuses. Cette femme, à la fenêtre, c'est peut-être de la publicité américaine. » Mais voilà que, ce matin, je la vois encore. Mais, cette fois, elle buvait une bouteille de vin. Alors j'ai compris que c'est une femme qui boit et je suis monté vous le dire.

TOPAZE.   Je vous en remercie bien vivement.

SUZY, *elle lit.*   Pouvez-vous vous charger de la reconduire ?

L'AGENT.   Avec plaisir, madame.   (*Il frise*[5] *sa moustache et regarde la Dactylo de côté.*)

TOPAZE *le rappelle.*   Dites, monsieur l'agent, est-ce que cette affaire aura des suites ?

L'AGENT.   Des suites ?... Dites... parlez pas de malheur ! Je suis marié, moi !... (*Il sort au bras de la Dactylo.   Suzy rentre chez elle.*)

---

[1] *intoxicated.*   [2] **violation de la loi.**   [3] *police captain.*   [4] *Watch your step, Don't pull any boners.*   [5] *twirls.*

Scène VI

Le vénérable Vieillard, Topaze

Entre un vénérable vieillard. Il porte des favoris [1] blancs comme un
notaire de province. Toute sa personne est d'une éminente dignité.
Il s'avance, l'air triste et noble, et salue Topaze cérémonieusement.

Le vénérable Vieillard. J'ai le plaisir de parler à
monsieur Topaze ?

Topaze. Oui, monsieur. En quoi puis-je vous servir ?

Le vénérable Vieillard. En rien, monsieur. Ce
5 n'est point pour vous demander votre aide, mais pour
vous offrir la mienne que je suis venu ici aujourd'hui. (*Il
s'assoit près du bureau.*)

Topaze. Je vous remercie par avance, monsieur, mais
j'aimerais assez savoir qui vous êtes.

10 Le vénérable Vieillard. Qui je suis ? Un vieux
philosophe qui a la faiblesse de s'intéresser aux autres.
Quant à mon nom, il importe peu. Venons-en au fait.
Vous avez dû lire, avant-hier, dans une feuille publique,
un écho qui contient une allusion assez nette à certaines
15 affaires que vous avez traitées.

Topaze. Oui, monsieur. Il m'a semblé, en effet, que le
pion douteux pouvait bien s'appliquer à moi-même,
quoique je n'aie pas été renvoyé pour une affaire de mœurs.

Le vénérable Vieillard. Je l'admets, mais il faut
20 bien accorder un peu de fantaisie aux journalistes ... Il
n'en est pas moins vrai que vous avez fourni à la ville des
balayeuses dites « système Topaze ». Or, ces véhicules
sortent d'une maison italienne et vous n'êtes, en l'affaire,
que le prête-nom de M. Castel-Bénac. Le directeur de ce
25 journal a fait lui-même une enquête des plus sérieuses, et

[1] *sidewhiskers.*

le numéro de demain doit révéler toute la combinaison à ses lecteurs. C'est ce numéro que je vous apporte. Voici. (*Il tend un journal à Topaze. En première page, un titre énorme:* « *Le scandale Topaze.* » *Tandis que Topaze, effaré, le parcourt, le vénérable Vieillard l'observe.*) Quatre colonnes de preuves irréfutables ! Cinq cent mille exemplaires [1] dans les rues demain matin.

TOPAZE. Avec ma photographie... Mais enfin, monsieur, pourquoi ces gens-là veulent-ils me perdre ?

LE VÉNÉRABLE VIEILLARD, *dignement*. Monsieur, le premier devoir de la presse, c'est de veiller à la propreté [2] morale et de dénoncer les abus. Je dirais même que c'est sa seule raison d'être. Enfin, vous voilà prévenu. (*Il se lève.*)

TOPAZE. Je vous remercie de votre démarche spontanée, quoique je n'en tire pas un grand avantage... (*Un temps.*)

LE VÉNÉRABLE VIEILLARD. Vous n'avez rien à me dire ?

TOPAZE. Non, monsieur. Que dire ?

LE VÉNÉRABLE VIEILLARD, *insinuant*. Je connais bien Vernickel, le directeur. Ne me chargerez-vous point d'une commission pour lui ?

TOPAZE. Dites-lui qu'il a raison et qu'il fait son devoir.

LE VÉNÉRABLE VIEILLARD. Oh ! voyons, monsieur, vous n'allez pas attendre que le scandale éclate ? (*Topaze répond par un geste de lassitude [3] et d'impuissance.[4]*) Réfléchissez, monsieur, l'honneur est ce que nous avons de plus précieux et il vaut tous les sacrifices. Vernickel n'est pas une brute... Certain geste pourrait le toucher... Allons, monsieur, vous devinez ce qui vous reste à faire ?

[1] *copies.*   [2] *cleanliness.*   [3] *weariness.*   [4] *helplessness.*

TOPAZE. Monsieur, je n'ose vous comprendre.

LE VÉNÉRABLE VIEILLARD, *souriant*. Osez, monsieur . . . osez . . .

TOPAZE. Et vous croyez que, si je fais ce geste, le
5 numéro ne paraîtra pas ?

LE VÉNÉRABLE VIEILLARD. Je vous donne ma parole d'honneur que c'est un enterrement [1] de première classe.

TOPAZE, *perplexe*. De première classe ?

LE VÉNÉRABLE VIEILLARD. Allons, un peu de bonne
10 volonté. Exécutez-vous.[2]

TOPAZE, *hagard*. Tout de suite ?

LE VÉNÉRABLE VIEILLARD. Ma foi, le plus tôt sera le mieux.

TOPAZE, *même jeu*. Quoi ? Devant vous ?

15 LE VÉNÉRABLE VIEILLARD, *joyeux*. Tiens, mais oui, parbleu !

TOPAZE. Monsieur, vous tenez donc à voir râler [3] un de vos semblables ?

LE VÉNÉRABLE VIEILLARD. Mais qui vous oblige à
20 râler ? C'est ce que je leur dis toujours. Pourquoi râler puisque vous finirez par y passer comme les autres ? . . . Mais non, ils râlent toujours, on dirait que ça les soulage ! [4]

TOPAZE, *indigné*. Mais savez-vous bien, monsieur, que ce sang-froid [5] ne vous fait pas honneur ? Oui, j'ai com-
25 mis une faute grave, je le reconnais, je l'avoue. Oui, j'ai mérité un châtiment [6] . . . Mais, cependant . . .

(*Castel-Bénac vient d'entrer. Il regarde Topaze, puis le vieux monsieur, puis Topaze.*)

---

[1] *burial;* here, the suppression of the newspaper article. [2] **Dé-cidez-vous.** Topaze comprend qu'il doit s'exécuter, c'est-à-dire, se tuer. [3] *have a death rattle,* also *to make a fuss.* [4] *relieves.* [5] *composure.* [6] **une punition.**

Scène VII

Castel-Bénac, Le vénérable Vieillard, Topaze

Castel-Bénac. Qu'est-ce que c'est ?

Topaze. Cet homme a surpris nos secrets, et il exige que je me tue devant ses yeux.

Castel-Bénac. Sans blague ?[1]

Le vénérable Vieillard. Mais non, je voulais... 5

Castel-Bénac. Combien ?

Le vénérable Vieillard. Vingt-cinq mille. (*Il donne à Castel-Bénac le numéro du journal.*)

Topaze. Comment, monsieur...

Castel-Bénac. Taisez-vous, asseyez-vous, cher ami... 10 (*Il parcourt le journal.*) Bien. Est-ce que Vernickel sait que je suis dans le coup ?

Le vénérable Vieillard. Oui, mais il m'avait dit de m'adresser à M. Topaze.

Castel-Bénac. Il n'est pas bête. « Allô, mademoi- 15 selle... Demandez-moi Vernickel à *la Conscience publique.* » Dites donc, vénérable vieillard, ce n'est pas la première fois que vous faites du chantage ?[2]

Le vénérable Vieillard, *froissé.*[3] Oh ! monsieur... ai-je l'air d'un débutant ? J'ai commencé avec Panama.[4] 20

Castel-Bénac. Ça, c'était du beau travail.

Le vénérable Vieillard. Ah ! oui... Des députés, des ministres, pensez donc... Des gens très bien... J'en ai fait une quarantaine et sans entendre seulement un

---

[1] *No kidding?*   [2] *commit blackmail.*   [3] *hurt.*   [4] allusion à l'affaire du Panama: Le Français, Ferdinand de Lesseps, le premier avait tenté la réalisation du canal mais les travaux furent interrompus, faute de capitaux. La justice dut poursuivre les administrateurs de l'entreprise. Ce fut un scandale.

mot grossier [1] ... Et pourtant, à cette époque-là, je n'a-
vais pas encore le physique ...

CASTEL-BÉNAC, *au téléphone.* « Allô ? Bonjour, mon
cher Vernickel ... Pas mal, mon vieux, et vous-même ?
5 Dites donc, il y a chez moi un vénérable vieillard qui vient
de votre part. Je le trouve un peu cher. Oui, une petite
réduction. Non, encore trop cher ... Ce que je donne ?
Eh bien, je donne cinq francs, oui, cent sous. Bon. Eh
bien, mon cher, vous avez tort de menacer un vieil ami.
10 Attendez une seconde. » (*A Topaze.*) Le dossier [2] ...
(*Topaze lui passe le dossier.*) « Une petite histoire ...
(*Il lit sur une fiche.*[3]) Vous avez peut-être connu un ap-
prenti imprimeur [4] qui s'enfuit de Melun [5] en novembre
1894 en emportant la caisse de son patron ? Il fut con-
15 damné le 2 janvier 1898 par le tribunal correctionnel [6] de
Melun à treize mois de prison ... Très curieux, hein ?
Ah ! bon ! ... bon ! ... Un simple malentendu,[7] évidemment ... Très vieille amitié, mais oui. Et votre petit
Victor va bien ? Oui, c'est à cet âge-là qu'ils sont le plus
20 intéressants ... Au revoir, cher ami ... A bientôt ! ... »
(*Au vénérable Vieillard.*) C'est réglé.

LE VÉNÉRABLE VIEILLARD, *souriant.* Et fort bien réglé,
monsieur, mes compliments ... Je n'ai plus qu'à me
retirer.

25 CASTEL-BÉNAC. Aucun doute là-dessus.

LE VÉNÉRABLE VIEILLARD. Mais je voudrais vous demander une faveur ...

CASTEL-BÉNAC. Laquelle ?

---

[1] *vulgar, coarse.* [2] lit., ' files '; here, *card index.* [3] lit., ' slip
of paper '; here, *card.* [4] *printer's apprentice.* [5] ville française
à 40 kilomètres au sud-est de Paris. [6] *police court.* [7] *misunderstanding.*

LE VÉNÉRABLE VIEILLARD. Voulez-vous me permettre
e copier la suite de la fiche de Vernickel ?

CASTEL-BÉNAC. Vénérable vieillard, vous avez un
rtain toupet.[1]

LE VÉNÉRABLE VIEILLARD. Dans ce cas, n'en parlons 5
us ... Messieurs ...

CASTEL-BÉNAC. Ah ! écoutez. Un mot. (*Il l'entraîne
ns un coin et lui dit à demi-voix.*) Vous me feriez plaisir
e sortir à reculons.

LE VÉNÉRABLE VIEILLARD. Pourquoi ?   10

CASTEL-BÉNAC. Parce que si vous me tournez le dos, je
e pourrai pas m'empêcher de vous donner un coup de pied.

LE VÉNÉRABLE VIEILLARD. Ah ! Fort bien, fort
en ... (*Il sort à reculons.*)

SCÈNE VIII

CASTEL-BÉNAC, TOPAZE

CASTEL-BÉNAC. Et voilà !   15

TOPAZE. Et voilà !

CASTEL-BÉNAC. Toutes les fois que vous recevrez un
e ces oiseaux-là, dites-lui de revenir quand je serai là ...
, tout à l'heure, mon cher Topaze ... (*Il sort par la
orte qui conduit chez Suzy. Topaze reste seul.*)   20

SCÈNE IX

MUCHE, TOPAZE

Paraît M. Muche.

MUCHE, *très affectueux.* Bonjour, mon cher ami ...
e suis ravi de vous voir, je suis absolument enchanté ...

[1] lit., ' wig '; here, *nerve.*

TOPAZE. Bonjour, monsieur le directeur ...

MUCHE. J'ai essayé plusieurs fois de vous rendre visit
mais vous étiez toujours absent ... Je le comprends fo
bien, d'ailleurs. Vous êtes maintenant dans les affaires ..
5 Et quelles affaires !

TOPAZE. Oui ... quelles affaires ... On vous en
parlé ?

MUCHE. Naturellement ... Et j'ai tous les matin
vers 8 heures, une émotion bien douce ... Par la fenêtr
10 de mon bureau, je vois passer trois balayeuses ... Elle
suivent trois chemins parallèles, elles avancent, à la mêm
vitesse, sans jamais se rejoindre, ni se dépasser ... Et le
trois brosses[1] tournent avec un doux murmure, et sur le
trois capots[2] étincelle[3] votre nom: « Système Topaze.
15 Eh bien, mon cher ami, quand elles passent, je salue.

TOPAZE. Monsieur le directeur, il n'y a pas de quo
saluer.

MUCHE. Oh ! je sais que vous êtes modeste, mais vou
ne pouvez défendre à vos amis d'être fiers pour vous; s
20 vous saviez combien souvent nous parlons de vous ..
Hier, en plein conseil de discipline, quand j'ai annoncé à
vos collègues que j'avais résolu de vous offrir la présidenc
de la distribution des prix,[4] ils ont accueilli la nouvell
avec une joie qui vous eût[5] touché et ils m'ont pressé de
25 venir vous arracher votre consentement.

TOPAZE. Moi, président ...

MUCHE. Mais oui ... Vous feriez un discours char
mant, avec une petite pointe d'émotion, du moins, j
l'espère ...

30 TOPAZE, *très ému.* Mais non, c'est impossible ..

---

[1] *brushes.*   [2] *hoods.*   [3] *sparkles.*   [4] *the graduation exercises*
[5] **aurait.**

Et d'ailleurs, d'ici là ... Monsieur le directeur, il y a
eu entre nous un grave malentendu mais je vous sais
un homme intègre [1] et je vous dois la vérité.   Donnez-
moi votre parole de ne jamais répéter ce que je vais vous
dire.   5

MUCHE.   Si vous m'estimez assez pour m'honorer d'une
confidence, elle restera ensevelie [2] au plus profond de moi-
même, je vous en donne ma parole d'honneur.

TOPAZE.   Monsieur le directeur, je ne suis plus un hon-
nête homme.   10

MUCHE.   Allons donc! ...

TOPAZE.   Je ne suis plus que le prête-nom d'un prévari-
ateur.[3]

MUCHE.   Allons donc ... Allons donc ...

TOPAZE.   Mais, puisque je vous le dis ...   15

MUCHE.   On dit tant de choses, mon cher ami, vous
cédez à ce goût de paradoxe [4] qui d'ailleurs a toujours fait
le charme de votre conversation.   Cependant, pour entrer dans votre plaisanterie, c'est bien de Castel-Bénac que
vous êtes l'homme de paille?   20

TOPAZE.   Précisément ...

MUCHE.   Dans ce cas, je vous dirai, pour le plaisir de
faire un bon mot,[5] que vous êtes l'homme de paille d'un
homme d'acier [6] ... (Il rit.)   C'est-à-dire que vous ne
courez aucun danger ...   25

TOPAZE.   Il est bien facile de voir que je n'ai pas inventé
les balayeuses.   Beaucoup de gens doivent le comprendre
et le dire ...

MUCHE.   Eh bien! qu'ils viennent me le dire à moi.
Et je leur répondrai que j'ai vu, de mes yeux vu, les es- 30

_____
[1] of integrity.   [2] buried.   [3] grafter.   [4] paradox, opinion contraire à l'opinion commune.   [5] play on words.   [6] steel.

quisses [1] et les plans que vous traciez sans cesse sur
tableau noir de votre classe.

TOPAZE. Vous les avez vus?

MUCHE. J'en suis à peu près certain. Et en tout cas
5 pourrais en témoigner. Où et quand vous voudrez. Vo
gagnez beaucoup d'argent?

TOPAZE. Trop.

MUCHE. Ah! la belle réponse... « Trop »... Vo
êtes vraiment un homme extraordinaire, mon cher ami.
10 Je le savais d'ailleurs depuis bien longtemps... Que
fois n'ai-je pas dit à la table de famille: « Ce garçon a tr
d'envergure,[2] il finira par nous quitter... » Et je disais
Mme Muche: « S'il veut partir, je le laisserai libre
Et c'est par pure amitié, mon cher Topaze, que le jour o
15 vous m'avez demandé votre liberté je n'ai pas essayé
me cramponner [3] à vous. Et maintenant, mon che
ami, je voudrais vous entretenir d'un sujet qui me tient
cœur. Je suis père, mon cher Topaze. Et père ma
heureux... Combien malheureux!...

20 TOPAZE. Mlle Muche est malade?

MUCHE. Hélas!... Son sort, mon ami, vous intéress
encore? Elle est frappée d'un mal qui ne pardonn
pas...

TOPAZE. Les poumons?[4]

25 MUCHE. Non, le cœur.

TOPAZE. Il faut voir un spécialiste.

MUCHE. Il est devant moi. Oui. Hélas! oui...
l'époque récente où vous étiez l'honneur de la pensio
Muche, vous passiez le long des couloirs, pensif, perdu dan
30 des spéculations scientifiques qui vous empêchaient d

---

[1] *sketches, drawings.* [2] lit., ' breadth '; here, *will, intelligence*
brain power. [3] *cling.* [4] *lungs.*

garder à vos pieds et d'y voir le cœur de cette pauvre
fant...

TOPAZE. Le cœur de votre fille?

MUCHE. L'amour l'avait touché de son aile, et moi,
re aveugle, je n'avais pas compris... Mais, depuis 5
tre départ, son attitude me brise le cœur. Elle rêve de
ngues heures auprès de la cheminée... Elle s'est lente-
ent amaigrie[1]... Et puis, hier, elle m'a tout dit...
ilà la confession d'un père. (*Il essuie une larme.*)

TOPAZE, *il éclate tout à coup.* Ah! non, non, tout de 10
ême...

MUCHE. Ah!... Pas de mots irréparables... Elle est
, dans l'antichambre, et elle attend avec une angoisse...

TOPAZE. Mais je vous ai pourtant demandé la main de
tre fille et, pour toute réponse, vous m'avez mis à la porte. 15

MUCHE. Vous m'avez demandé la main de ma fille?

TOPAZE. Oui.

MUCHE. Je vous l'accorde. (*Il se lève comme un ressort[2]
sort en courant.*)

TOPAZE. Monsieur Muche... 20

SCÈNE X

ERNESTINE, TOPAZE, LA DACTYLO

nestine a les cheveux coupés à la garçonne.[3] Elle est fardée,[4]
poudrée,[5] parée pour s'offrir à l'homme riche. Elle entre, les yeux
baissés, le sein palpitant.[6]

ERNESTINE. Bonjour.

TOPAZE. Bonjour, mademoiselle. (*Elle le regarde, elle
urit, elle soupire, elle s'assoit.*)

[1] *grown thin.* [2] *spring.* [3] *bobbed hair.* [4] *rouged.* [5] *powdered.*
er *bosom heaving.*

ERNESTINE. Je suis bien contente ! Je savais bien qu
tout finirait par s'arranger.

TOPAZE. Puis-je vous demander à quel événement vou
faites allusion ?

5 ERNESTINE. Papa ne vous a pas dit qu'il consent ?

TOPAZE. A quoi ?

ERNESTINE. A ce que vous lui demandez... Et mo
je ne devrais pas dire oui si vite, mais je ne veux pas vou
inquiéter. C'est oui.

10 TOPAZE. Mademoiselle, je vous demande en grâce d
ne pas vous offenser des paroles que je vais prononcer ..

ERNESTINE. Désormais, vous pouvez tout me dire sar
m'offenser ...

TOPAZE. Il est exact qu'un jour j'ai demandé votr
15 main à votre père. Il refusa. Depuis, je n'ai eu ni l'occa
sion ni le désir de renouveler cette démarche.

ERNESTINE. Je ne comprends pas ...

TOPAZE. Faites un petit effort, mademoiselle. J
viens de vous dire que je ne songe plus à me marier.

20 ERNESTINE. Henri ... Henri ...

TOPAZE. Je m'appelle Albert.

ERNESTINE. Ah ! ... (*Elle s'évanouit dans ses bra*
Topaze paraît d'abord assez embarrassé, puis il la dépos
dans un fauteuil. Elle ferme les yeux.)

25 TOPAZE. Mademoiselle, la comédie que vous me donne
est inutile. Je ne suis pas un idiot. (*A ces mots, elle s*
lève brusquement. On frappe à la porte.) Entrez. (*Para*
la Dactylo. Elle tend une carte à Topaze.) Bien. Attende
un instant. Restez là, mademoiselle. Mademoisell
30 Muche, mes affaires ne me laissent pas le temps de con
tinuer en ce moment cette conversation ... Nous pou
rons la reprendre plus tard, un autre jour ...

ERNESTINE. Demain. Où ?

TOPAZE. C'est que ... précisément, demain, je serai forcé de rester ici.

ERNESTINE. Je viendrai ici ... A demain ...

TOPAZE, *à la Dactylo.* Voulez-vous reconduire Mademoiselle ? 5

ERNESTINE. Vous me chassez ? Goujat ! [1] (*Elle le gifle.*[2] *Entre Castel-Bénac suivi de Suzy.*)

SCÈNE XI

SUZY, CASTEL-BÉNAC, TOPAZE, LA DACTYLO

CASTEL-BÉNAC, *il voit la gifle* [3] *et se tourne vers Suzy.* Vous voyez bien, chère amie, ce n'est plus possible ... 10

TOPAZE. Permettez-moi de vous expliquer ...

CASTEL-BÉNAC. Non, mon cher, non, ne m'expliquez rien. Mademoiselle vient de me raconter ce qui s'est passé ici en mon absence, vos craintes, vos hallucinations, et, vraiment, je crois qu'il n'y a rien de mieux à faire que de 15 vous séparer. Tenez, voilà d'abord un petit cadeau d'adieu. (*Il lui tend un petit écrin.*[4])

TOPAZE. Qu'est-ce que c'est ?

SUZY. Les palmes [5] que Régis avait demandées pour vous. 20

TOPAZE, *très ému.* Mais ... je les ai officiellement ?

CASTEL-BÉNAC. Tout ce qu'il y a de plus officiel.

SUZY. Vous verrez votre nom demain dans la promotion.[6] (*Topaze a ouvert l'écrin et il regarde avec stupeur des palmes académiques. Il paraît profondément absorbé.*) 25

[1] *Blackguard !*   [2] *slaps.*   [3] *slap.*   [4] *jewel case.*   [5] i.e. les palmes académiques; cf. page 15, note 3.   [6] *list of those honored by the government.*

CASTEL-BÉNAC. Et maintenant, qu'est-ce que vo
diriez d'un gentil petit poste de professeur, au collè
d'Oran,[1] par exemple ? Trois mois de vacances et
traitement [2] honorable, avec le quart colonial [3] en plu
5 Hein ? Ça vous va ?

TOPAZE, *doucement.* Non, patron ... Non, merci.

CASTEL-BÉNAC. Ah ? Est-ce que vous voudriez p
hasard une petite indemnité ?

TOPAZE. Non, patron ... Je ne veux pas une peti
10 indemnité.

CASTEL-BÉNAC. Une grosse indemnité, alors ? (
Suzy.) Oh ! mais, dites donc, il est peut-être moins bê
qu'il n'en a l'air ! Laissez-moi vous dire, mon garçon, q
votre position vis-à-vis de moi n'est pas aussi forte q
15 vous croyez. Si je voulais vous mettre dehors nu et cru
je ne me gênerais pas le moins du monde. Ne vous im
ginez pas que vous pouvez me faire quelque sale histoi
en allant raconter ce que vous savez. Vous y seriez pris
premier, mon ami. Compris, hein ? Pas de chantage
20 avec moi. Dites carrément [6] ce que vous voulez, et je vo
le donnerai par amitié. Allez-y.

TOPAZE. Je veux rester ici.

CASTEL-BÉNAC. Pour quoi faire ?

TOPAZE. Mes preuves.

25 CASTEL-BÉNAC. Il me semble qu'elles sont déjà faite

TOPAZE. Non, patron. Jusqu'ici j'ignorais absolume
bien des choses que j'entrevois.

SUZY. Lesquelles ?

TOPAZE. La vie n'est peut-être pas ce que je croyai

---

[1] une des trois divisions administratives de l'Algérie, colonie fra
çaise. [2] *salary.* [3] a fourth extra as indemnity service in the co
nies. [4] *crudely, roughly.* [5] *blackmail.* [6] **franchement.**

C'est peut-être vous qui avez raison après tout... (*La Dactylo, qui attendait depuis le début de cette scène, fait un pas en avant.*)

LA DACTYLO. Alors, qu'est-ce que je lui dis au monsieur qui attend ?

CASTEL-BÉNAC. Quel monsieur ? (*La Dactylo lui tend la carte, il lit.*) Rebizoulet ?

TOPAZE. Voulez-vous que j'essaie de le recevoir ?

CASTEL-BÉNAC. A quoi bon ? Pour gâcher[1] encore cette affaire ?

SUZY. Régis, faites-lui crédit encore une fois ![2]

CASTEL-BÉNAC. C'est qu'il est dangereux, chère amie.

SUZY. Je vous le demande.

CASTEL-BÉNAC. Allons, et mettez donc vos palmes pour vous donner plus d'assurance.

SUZY. Donnez... (*Elle prend le petit ruban violet et l'attache à la boutonnière[3] de Topaze.*)

CASTEL-BÉNAC. Vous me téléphonerez le résultat à 8 heures chez Maxim's.[4] Venez, chère amie...

SUZY. C'est vrai. Le procureur[5] doit nous attendre !

TOPAZE, *effrayé.* Le procureur ? Pour quoi faire ?

CASTEL-BÉNAC. Mais pour dîner, parbleu ! (*Ils sortent.*)

TOPAZE, *resté seul, réfléchit un moment. Puis il ouvre de nouveau l'écrin, en tire le papier qu'il déplie[6] et lit.* « Le ministre de l'Éducation nationale, etc., à M. Albert Topaze, ingénieur, pour services exceptionnels. » (*Il secoue la tête, puis se tourne, décidé, vers sa dactylo.*) Faites entrer M. Rebizoulet ! (*Elle sort. Il s'assoit derrière son bureau et attend.*)

RIDEAU

[1] *spoil, ruin.*   [2] *trust him just once more !*   [3] *buttonhole.*   [4] *un café parisien très fameux. Les politiciens le fréquentent beaucoup.*   [5] *attorney general.*   [6] *unfolds.*

ACTE IV

Même décor. Il est 4 heures de l'après-midi.

Scène Première

Suzy, Castel-Bénac

Suzy et Castel-Bénac sont assis dans des fauteuils et attendent, la mine assez grise.[1] Ils fument tous les deux. Soudain Castel-Bénac se lève et tire sa montre.

Castel-Bénac. Il a tout de même du toupet.[2] Il est 4 heures et demie et je lui avais dit que je viendrais à 2 heures.

Suzy. S'il est retenu quelque part il pourrait au moins 5 téléphoner.

Castel-Bénac. Ma chère amie, en ce qui vous concerne, il a une excuse. Il ne se doute pas que vous devez assister à notre règlement de comptes mensuel.[3]

Suzy. Comment? Il travaille pour nous depuis huit 10 mois, et j'ai été présente toutes les fois.

Castel-Bénac. Oui, sans doute, mais vous étiez là en curieuse[4] et comme par hasard ... Il sait bien que votre présence n'est pas nécessaire.

Suzy. Au fond, c'est vrai ... Il vaudrait peut-être 15 mieux que je m'en aille. (*Elle se lève.*)

Castel-Bénac, *soulagé*.[5] Je n'osais pas vous le dire, mais je le souhaitais. Il me déplairait que vous ayez l'air d'avoir attendu ce monsieur.

---

[1] *looking rather sour.*   [2] *his nerve.*   [3] **tous les mois,** *monthly.*
[4] *as an onlooker.*   [5] *relieved.*

138

Suzy. Vous avez raison. (*Elle se dirige vers la porte. Soudain elle se retourne, avec un rire moqueur.*[1]) Vous seriez bien content si je sortais ? Ah non ! Pas si bête, mon cher. (*Elle vient se rasseoir.*)

Castel-Bénac, *surpris.* Comment, pas si bête ?   5

Suzy. Vous espériez peut-être me cacher l'affaire du Maroc ?

Castel-Bénac, *stupéfait.* Quelle affaire du Maroc ?

Suzy. Vous faites une drôle de tête ... Vous niez !

Castel-Bénac, *sincère.* Je ne sais pas de quoi vous 10 parlez.

Suzy. Cette mauvaise foi me prouve que vous étiez décidé à garder pour vous ma commission ... Eh bien, ça, mon cher, je ne l'admets pas.

Castel-Bénac. Ma chère amie, je te jure que je ne 15 comprends pas.

Suzy. Vous ignorez que vous faites une affaire de concessions de terrains au Maroc ? Des terrains qui contiennent des carrières de marbre, des gisements[2] de plomb et des forêts de chênes-lièges ?[3]   20

Castel-Bénac. Première nouvelle. Qui vous a dit ça ?

Suzy. Il serait difficile de l'ignorer, attendu que[4] Marescot, le député, est ici tous les matins, avec un petit attaché du ministère des Colonies ... (*Elle montre une carte sur le mur.*) Et si vous croyez que je n'ai pas 25 vu cette carte, avec un carré[5] au crayon bleu, c'est que vous me prenez vraiment pour une sotte.[6]

Castel-Bénac, *il s'approche de la carte et la regarde avec un sincère étonnement.* Cette carte ? Je ne l'avais même pas remarquée.   30

---

[1] *scornful, sly.* [2] *mines, beds.* [3] *cork oaks.* [4] *in view of the fact that.* [5] *square.* [6] *idiot, fool.*

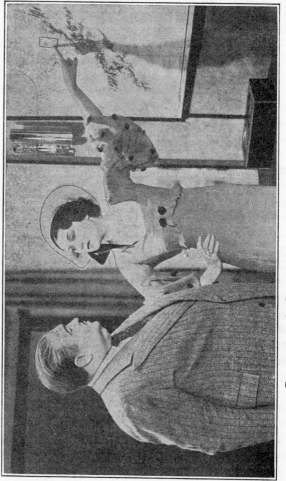

CETTE CARTE? JE NE L'AVAIS MÊME PAS REMARQUÉE.

Suzy, *nerveuse.* Ah !... rien n'est agaçant comme cette hypocrisie !

Castel-Bénac, *irrité.* Ma chère, rien n'est agaçant comme ces reproches à propos d'une histoire dont je ne connais pas le premier mot ! 5

Suzy. Alors, voulez-vous me dire pourquoi il vous déplaît que j'assiste à ce règlement de comptes ?

Castel-Bénac. C'est tout simple. Topaze est devenu assez fier depuis qu'il a réussi certaines affaires et il se prend un peu trop au sérieux. Quand je suis seul avec lui, 10 il m'est possible de tolérer une certaine liberté de langage ... Tandis que votre présence peut exciter son amour-propre ... Il dépasserait peut-être les bornes de ma patience et me réduirait probablement à le mettre à la porte, ce qui serait bien triste pour ce garçon. 15

Suzy, *ironique.* En somme, vous avez pitié de lui ?

Castel-Bénac. Peut-être.

Suzy, *bien en face.* Vous en avez peur !

Castel-Bénac. Chère amie, songez à ce que vous dites. Moi, j'aurais peur de mon employé ? 20

Suzy. En tout cas, vous venez d'avouer que votre employé n'a pas peur de vous.

Castel-Bénac. Il n'a plus peur de moi. C'est un fait. (*Brusquement agressif.*) Et j'ajoute que c'est par votre faute. Absolument. 25

Suzy. Par ma faute ?

Castel-Bénac. Sous prétexte de le rassurer, de le guider, vous êtes venue ici trop souvent ... Vous avez poussé l'imprudence jusqu'à lui donner des conseils sur ses costumes ... 30

Suzy. Dans notre intérêt. Un directeur d'agence aussi mal vêtu était suspect.

CASTEL-BÉNAC. Maintenant, si j'ai besoin de lui, le matin, on me répond: « Monsieur est chez son tailleur » ou « Monsieur est à la piscine.[1] » Et encore ceci ne serait que ridicule, mais vous avez fait pire ...

5　SUZY. Régis !

CASTEL-BÉNAC. Oui, vous avez fait pire.

SUZY. Et qu'ai-je donc fait ?

CASTEL-BÉNAC. Vous lui avez appris à MANGER.

SUZY. Parce que je l'ai invité quelquefois ?

10　CASTEL-BÉNAC. Deux fois par semaine en moyenne. Vous lui avez révélé les grandes nourritures,[2] et maintenant, parbleu, il a l'intelligence et l'énergie d'un homme bien nourri. C'est exactement l'histoire du chimpanzé[3] de ma mère. Quand elle l'a acheté, il était maigre, il 15 faisait pitié à regarder, mais je n'ai jamais vu un singe[4] aussi affectueux. On lui a donné des noix de coco,[5] on l'a gavé[6] de bananes, il est devenu fort comme un Turc, il a cassé la figure à la bonne. Il a fallu appeler les pompiers[7] ... (*Il tire de nouveau sa montre.*) Oui, mais cette fois-ci 20 je vais lui faire sentir les rênes.[8] (*Suzy le regarde d'un drôle d'air. Il traverse encore une fois le bureau, les mains derrière le dos et il a un subit accès de colère.*) Qu'est-ce que c'est que ce miteux[9] qui se permet ... Un misérable pion, c'est trop fort ... Oh ! mais ... Oh ! mais ... (*Entre* 25 *Topaze brusquement.*)

---

[1] *swimming pool.*　[2] *fine foods.*　[3] *chimpanzee.*　[4] *monkey.*
[5] *cocoanuts.*　[6] *stuffed.*　[7] *firemen.*　[8] *reins.*　[9] *seedy-looking in-dividual.*

SCÈNE II

LES MÊMES, TOPAZE

Il porte un costume du bon faiseur.[1] Sa face est entièrement rasée.
Il marche d'un pas décidé.

CASTEL-BÉNAC, *sec et autoritaire.* J'ai le regret de vous
dire qu'il est 4 heures trois quarts. (*Topaze le regarde
d'un air absent, passe devant lui, salue Suzy et va s'asseoir
au bureau. Il ouvre un tiroir,[2] prend un carnet.[3]*) Nous
vous attendons depuis deux heures. Il est tout de même   5
paradoxal ...

TOPAZE, *glacé.* Vous permettez? Une seconde. (*Il
note quelque chose et remet le carnet dans le tiroir. Suzy et
Castel-Bénac se regardent, un peu ahuris.[4] Castel-Bénac
fait à Suzy un signe qui veut dire: « Tu vas voir tout à*   10
l'heure. ») C'est fait. Eh bien, je suis charmé de vous voir.
De quoi s'agit-il?

SUZY. Du règlement de comptes pour le mois de septembre, puisque nous sommes le 4 juillet.

TOPAZE *se lève.* Chère mademoiselle, vous êtes la grâce   15
et le sourire, tandis que des règlements de comptes sont
des choses sèches et dures. Je vous supplie de ne point
faire entendre ici une voix si pure qu'elle rendrait ridicules
les pauvres chiffres dont nous allons discuter. (*Il lui
baise la main et la conduit avec beaucoup de bonne grâce*   20
*jusqu'à un fauteuil au premier plan,[5] à gauche. Il la fait
asseoir et lui tend un journal illustré.*) Voici le dernier
numéro de *la Mode française* ... Car j'ai suivi votre
conseil, je me suis abonné.[6] (*Il la laisse ahurie[7] et se*

---

[1] *well-tailored.*   [2] *drawer.*   [3] *memorandum book.*   [4] *flurried.*
[5] *down stage.*   [6] *subscribed.*   [7] *aghast, dumfounded.*

tourne vers Castel-Bénac.) Qu'y a-t-il pour votre service ? Des chiffres ?

CASTEL-BÉNAC. Oui, venons-en aux chiffres. Je vous dirai ensuite ma façon de penser.

5   TOPAZE. Je serai charmé de la connaître. (*Il prend un registre.*) Je vous dois, pour le mois de septembre, une somme globale [1] de soixante-cinq mille trois cent quarante-sept francs. (*Il lui remet un papier. Castel-Bénac compare avec un carnet [2] qu'il a tiré de sa poche.*)

10   CASTEL-BÉNAC. Ce chiffre concorde [3] avec les miens. (*Il examine le papier. Suzy lit par-dessus son épaule.*)

SUZY. L'affaire du Maroc est-elle comprise ? . . .

CASTEL-BÉNAC. Oui, qu'est-ce que c'est que cette affaire du Maroc ?

15   TOPAZE, *froid.* Personnelle.

CASTEL-BÉNAC. Comment personnelle ?

TOPAZE. Cela veut dire qu'elle ne vous regarde pas. [4]

SUZY. Monsieur Topaze, que signifie cette réponse ?

TOPAZE. Elle me paraît assez claire.

20   CASTEL-BÉNAC, *qui commence à suffoquer.* Comment !

TOPAZE. Laissez-moi parler, je vous prie. Asseyez-vous. (*Castel-Bénac hésite un instant, puis il s'assoit. Cependant Topaze a tiré de sa poche un étui [5] d'argent. Il le tend à Castel-Bénac.*) Cigarette ? . . .

25   CASTEL-BÉNAC. Merci. [6]

TOPAZE *allume sa cigarette, puis, très calme et très familier.* Mon cher ami, je veux vous soumettre un petit calcul. Cette agence vous a rapporté en six mois 785.000 francs de bénéfices nets. Or le bureau vous a coûté 10.000
30 francs pour le bail, [7] 20.000 pour l'ameublement, [8] en tout

---

[1] *round.* [2] *notebook.* [3] *tallies.* [4] **cela ne vous concerne pas.**
[5] *cigarette case.* [6] **Merci non.** [7] *lease.* [8] *furniture.*

o.ooo. Comparez un instant ces deux nombres: 785.000
t 30.000.

CASTEL-BÉNAC. Je ne vois pas l'intérêt de cette com-
araison.

TOPAZE. Il est très grand. Cette comparaison prouve 5
que vous avez fait une excellente affaire, même si elle
'arrêtait aujourd'hui.

CASTEL-BÉNAC. Pourquoi s'arrêterait-elle ? . . .

TOPAZE, *souriant.* Parce que j'ai l'intention de garder
e bureau pour travailler à mon compte. Désormais, 10
cette agence m'appartient, les bénéfices qu'elle produit
ont à moi. S'il m'arrive encore de traiter des affaires avec
vous, je veux bien vous abandonner une commission de six
pour cent. C'est tout. (*Castel-Bénac et Suzy se regardent.*)

CASTEL-BÉNAC, *avec effort.* Je vous l'avais toujours dit. 15
Notre ami Topaze est un humoriste.

TOPAZE. Tant mieux si vous trouvez cela drôle. Je
n'osais pas l'espérer.

SUZY. Monsieur Topaze, parlez-vous sérieusement ?

TOPAZE. Oui, mademoiselle. D'ailleurs, en affaires je 20
ne plaisante jamais.

CASTEL-BÉNAC. Vous vous croyez propriétaire de
'agence ?

TOPAZE. Je le suis. L'agence porte mon nom, le bail
est à mon nom, je suis légalement chez moi . . .   25

CASTEL-BÉNAC. Mais ce serait un simple vol . . .

TOPAZE. Adressez-vous aux tribunaux.

SUZY, *partagée entre l'indignation, l'étonnement et l'admi-
ation.* Oh ! . . .

CASTEL-BÉNAC, *il éclate.* J'ai vu bien des crapules,[1] je 30
n'en ai jamais vu d'aussi froidement cyniques.

[1] *blackguards.*

TOPAZE. Allons, pas de flatterie, ça ne prend pas.

SUZY. Régis, allez-vous supporter... Dis quelque chose, voyons.

CASTEL-BÉNAC *dégrafe* [1] *son col.* Oh ! ma foi !

5 TOPAZE. Mademoiselle, mettez-vous à sa place ? C'est tout ce qu'il peut dire.

CASTEL-BÉNAC, *après un tout petit temps.* Topaze, il y a certainement un malentendu.[2]

SUZY. Vous êtes incapable de faire une chose pareille...

10 TOPAZE. Vous niez l'évidence.

CASTEL-BÉNAC. Allons, réfléchissez. Sans moi, vous seriez encore à la pension Muche... C'est moi qui vous ai tout appris.

TOPAZE. Mais vous avez touché sept cent quatre-vingt-
15 cinq mille francs. Jamais un élève ne m'a rapporté ça...

CASTEL-BÉNAC. Non, non, je ne veux pas le croire. Vous êtes un honnête homme. (*Topaze rit.*) Vous pour qui j'avais de l'estime... Et même de l'affection... Oui, de l'affection... Penser que vous me faites un coup
20 pareil, pour une sale question d'argent... J'en aurais trop de peine, et vous aussi... N'est-ce pas, Suzy ? Dites-lui qu'il en aura de la peine... qu'il le regrettera... (*Elle regarde Castel-Bénac avec mépris. Dans un grand élan.*) Tenez, je vous donne dix pour cent.

25 TOPAZE. Mais non, mais non... Voyez-vous, mon cher Régis, je vous ai vu à l'œuvre et je me suis permis de vous juger. Vous n'êtes pas intéressant. Vous êtes un escroc,[3] oui, je vous l'accorde, mais de petite race [4]... Vos coups n'ont aucune envergure.[5] Quinze balayeuses,
30 trente plaques d'égout,[6] six douzaines de crachoirs

---

[1] *unfastens.*   [2] *misunderstanding.*   [3] *crook.*   [4] *"a piker."*
[5] *breadth, scope.*   [6] *sewer plates.*

maillés[1] ... Peuh ... Le jeu n'en vaut pas la chandelle.
Quant aux spéculations comme celles des brasseries,[2] ça,
mon cher, ce ne sont pas des affaires: c'est de la poésie
toute pure. Non, vous n'êtes qu'un bricoleur,[3] ne sortez
pas de la politique. 5

CASTEL-BÉNAC, *à Suzy.* Eh bien, ça y est. C'est le
coup du chimpanzé.

SUZY. Voilà tout ce que vous trouvez à dire ?

CASTEL-BÉNAC. Que peut-on dire à un bandit ? (*A
Topaze.*) Vous êtes un bandit. 10

SUZY *hausse les épaules.* Allez, vous n'êtes pas un
homme !

CASTEL-BÉNAC *se tourne violemment vers Suzy, avec un
grand courage.* Oh! vous, taisez-vous, je vous prie ...
Car je me demande si vous n'êtes pas sa complice. 15

SUZY. Vous savez bien que ce n'est pas vrai.

CASTEL-BÉNAC. Où aurait-il pris cette audace si vous
ne l'aviez pas conseillé ? (*Topaze s'est remis à son bureau.
Il écrit paisiblement, ouvre son courrier, etc.*) Oui, avouez-le,
c'est vous qui faites le coup. 20

SUZY. Croyez-en ce que vous voudrez.

CASTEL-BÉNAC. Je n'ai pas besoin de votre permission
pour croire ce que je vois. Il y a longtemps que je suis
fixé.

SUZY. Moi aussi. 25

CASTEL-BÉNAC. Mais il ne faut pas vous imaginer que
ça va se passer comme ça. Je ne vous ai donc pas fait
gagner assez d'argent depuis deux ans ?

SUZY. Voilà le comble de la vulgarité.

CASTEL-BÉNAC, *il ricane.*[4] La vulgarité! ... Ah! 30
là là! ... La vulgarité! ...

---

[1] *enamel spittoons.*   [2] *cafés.*   [3] *"small timer."*   [4] *snickers.*

TOPAZE. Monsieur, je vous défends de parler sur ce ton à une femme. Allez-vous-en.

CASTEL-BÉNAC. Soit. Rira bien qui rira le dernier. Vous aurez de mes nouvelles.

5 TOPAZE. Mais non, mais non.

CASTEL-BÉNAC. Je vais de ce pas chez le procureur [1]. . .

TOPAZE. Ça m'étonnerait.

CASTEL-BÉNAC. Quant à vous, mademoiselle, vous m'avez trop longtemps rendu ridicule.

10 SUZY. C'est vrai.

CASTEL-BÉNAC. J'entends que désormais votre attitude change. Je serai chez vous tout à l'heure pour vous dire ce que j'ai résolu.

SUZY. Vous avez résolu de parler grossièrement [2]
15 à une femme parce que vous avez peur d'un homme. Je vous trouve profondément méprisable. [3]

CASTEL-BÉNAC. Mademoiselle . . .

TOPAZE *se lève et s'approche de Castel-Bénac.* Sortez, monsieur.

20 CASTEL-BÉNAC. Croyez-vous par hasard . . .

TOPAZE. Allons, sortez.

CASTEL-BÉNAC. Soit. Je pourrais abuser de ma force physique . . .

TOPAZE. Ne vous gênez pas. [4]

25 CASTEL-BÉNAC. Mais je ne suis pas un porte-faix. [5]

SUZY. C'est vous qui le dites.

CASTEL-BÉNAC. A l'heure que j'aurai choisie, je vous ferai payer vos fanfaronnades. [6] Pour le moment, j'aime mieux en rire. (*Il rit, la figure contractée.*) Ha . . . ha . .
30 ha . . . ha . . . ha . . . ha . . . (*Il sort.*)

---

[1] *attorney general.*　　[2] *in a vulgar manner.*　　[3] *worthy of scorn.*
[4] *Don't mind me.*　　[5] *porter.*　　[6] *boasts.*

Scène III

Suzy, Topaze

TOPAZE. Il s'est montré au naturel. Mais il ne tardera
uère à vous faire de plates excuses, et vous les accepterez
n souriant pour ne pas perdre une bonne affaire.

SUZY. Je vous trouve bien impertinent, mon cher ami.
rop, peut-être. (*Elle s'assoit.*) J'ai l'impression que 5
ous avez absolument perdu la tête. Croyez-vous que
otre coup d'État [1] soit une preuve d'intelligence ?

TOPAZE. Non. D'autorité tout au plus.

SUZY. Ces quelques secondes d'autorité vous coûteront
her. 10

TOPAZE. Pourquoi ?

SUZY. Cette agence par elle-même ne vaut rien. Elle
apportait de l'argent parce que derrière cette façade il y
vait Régis.

TOPAZE. Désormais, il y aura moi. 15

SUZY. Vous... (*Elle rit.*) Que croyez-vous faire
out seul ?...

TOPAZE. Demandez-moi plutôt ce que j'ai fait. Depuis
rois mois, chère mademoiselle, j'ai travaillé pour moi.
'ai fréquenté des gens intéressants et j'ai gagné pas 20
ıal d'argent. Lorsque le Maroc va donner ...

SUZY. C'est sérieux, le Maroc ?

TOPAZE. Il n'y a rien de plus sérieux que le Maroc.
Concession de 5.000 hectares. [2] Société anonyme. [3] 4.000
arts de fondateur [4] pour moi. Voyez. (*Il lui donne des* 25
apiers, des titres.) Les titres seront mis sur le marché le
ıois prochain.

[1] lit., ' overthrowing the government.'   [2] un hectare = $2\frac{1}{2}$ acres.
Corporation.   [4] *founder's share.*

Suzy. Vous travaillez donc avec des ministres ?

Topaze. Pas encore. Un sénateur, un banquier,
un boucher[1] et la première danseuse du caïd[2] des Beni
Mellal. Ce n'est d'ailleurs pas une affaire malhonnête.
5 Elle comporte des pots-de-vin,[3] comme toutes les affaires
coloniales, mais légalement le coup est régulier. Et j'ai
d'autres choses en vue.

Suzy. Décidément, vous êtes bien changé.

Topaze. A mon avantage ?

10 Suzy. Peut-être, mais pas au mien.

Topaze. Comment cela ?

Suzy. J'avais des intérêts dans cette agence. En dé-
pouillant Régis, vous me dépouillez. Je touchais huit
pour cent des affaires.

15 Topaze. Il ne tient qu'à vous de les conserver.

Suzy. A quel titre ? . . .

Topaze. Je vous dois beaucoup. Et puis, j'ai encore
besoin de vos conseils.

Suzy. Je vous croyais un grand homme d'affaires.

20 Topaze. Pas tout à fait. Il me manque encore quelque
chose.

Suzy. Et quoi donc ?

Topaze. Le signe éclatant de la réussite. Une femme
élégante que je puisse montrer chez les autres et qui sache
25 recevoir mes amis dans un intérieur de bon goût.

Suzy. Mon cher Topaze, je crois que vous allez un peu
vite.

Topaze. Et pourquoi, mademoiselle ?

Suzy. Je sais ce que vaut un Topaze, puisque je sais
30 comment on les fait. C'est pourquoi, malgré vos airs
définitifs, je me permets de vous donner ce conseil.

[1] *butcher*.   [2] an African chieftain.   [3] *bribes*.

Touze. Mais c'est un appel aux braves de tout

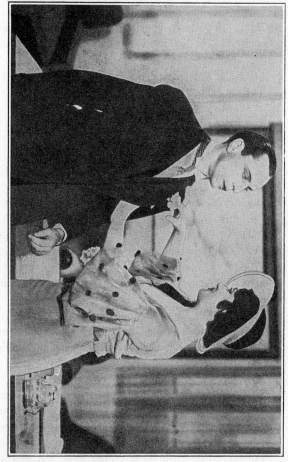

DÉCIDÉMENT, VOUS ÊTES BIEN CHANGÉ.

TOPAZE. Mais c'est un conseil que je vous demand‹
je voudrais votre avis sur le choix que j'ai fait.

SUZY. Si votre choix est fait, il est un peu tard pour m‹
consulter. (*Un temps.*) Qui est-ce ? . . .

5   TOPAZE. Devinez.

SUZY. Je la connais ?

TOPAZE. Fort bien.

SUZY. Brune ou blonde ?

TOPAZE. Brune.

10   SUZY. Petite ?

TOPAZE. Moyenne.

SUZY. Jolie ?

TOPAZE. Très jolie. Et elle porte la toilette à ravi‹
Elle avait hier une robe d'un goût exquis. Un mantea‹
15 de velours rouge bordé de vison[1] clair . . . Ah ! oui
Exquise !

SUZY. Oui, mais elle se moque peut-être de vous.

TOPAZE. Qui sait ?

SUZY. Elle vous regarde probablement comme u‹
20 homme sans grand avenir.

TOPAZE. Elle aurait tort.

SUZY. Je vous conseille de faire mieux vos preuve‹
avant de lui adresser des propositions qui pourraient lu‹
déplaire.

25   TOPAZE. Croyez-vous ?

SUZY. Je crois qu'elle vous remettrait à votre place.

TOPAZE. Sur ce point, je crois que vous vous trompez‹
Je pense que je ferais bien de lui parler le plus tôt possibl‹

SUZY. Tant pis pour vous.

30   TOPAZE. Elle vient de se fâcher avec son ami et ell‹
n'attend peut-être qu'un mot pour tomber dans mes bra‹

[1] *mink.*

Suzy *éclate de rire.* Vous voilà bien fat [1] et bien prétentieux. Essayez donc de dire ce mot.

Topaze. J'essaierai.

Suzy. Essayez donc tout de suite, cela me distraira.

Topaze. Bien. (*Il prend le téléphone.*) « Allô... 5 Passy [2] 43-52. »

Suzy. Comment ? Odette ?

Topaze. Je l'ai rencontrée hier, nous avons pris le thé ensemble, et il m'a semblé ...

Suzy, *elle lui prend le récepteur* [3] *et le raccroche.*[4] Comme 10 c'est bête ! Vous m'estimez donc assez peu pour me jouer une pareille comédie ? Qu'espérez-vous ?

Topaze, *il change brusquement de ton et de visage.* Rien. Que puis-je espérer ? Vous m'avez vu trop pauvre et trop niais.[5] Je ne vous gagnerai jamais. Je serai toujours 15 le sympathique idiot.

Suzy, *doucement.* Sympathique.

Topaze, *amer.* Mais idiot. (*On frappe à la porte du côté de l'appartement.*)

Suzy. Qu'est-ce que c'est ? (*Entre le Maître d'hô-* 20 *tel.*)

Le Maître d'hôtel. Monsieur Castel-Bénac attend Mademoiselle.

Suzy. Bien. (*Le Maître d'hôtel se retire.*)

Topaze. N'y allez pas.   25

Suzy. Il le faut. J'ai des comptes à régler. Des comptes financiers. Il faut que cette rupture soit nette. Quand il sera parti, je vous ferai prévenir. (*Elle lui tend sa main qu'il baise avec émotion. Elle sort, avec un sourire presque tendre. Topaze reste seul, paraît triomphant.* 30

[1] *conceited.*   [2] Passy est un quartier de Paris.   [3] *receiver.*
[4] *hangs it up.*   [5] *too much of a simpleton.*

Entre une dactylo qui lui remet une carte. Il change de
visage, il hésite une seconde, puis il dit:)

TOPAZE.   Faites entrer.

SCÈNE IV

TOPAZE, TAMISE

Entre Tamise. Il est exactement semblable à ce qu'il était au premier
  acte. Redingote [1] usée, parapluie [2] sous le bras, lorgnon à cordon.[3]
  Topaze, un peu gêné mais joyeux, va vers lui.

TOPAZE.   Tamise ...

5   TAMISE.   Topaze! ... (*Ils se tiennent la main. Ils se*
regardent en riant.) Tu l'as coupée! (*Il montre le menton*
de Topaze.)

TOPAZE.   Eh oui ... Dans les affaires ... Ça me change
beaucoup?

10   TAMISE.   Tu as l'air d'un acteur de la Comédie-Fran
çaise.[5]

TOPAZE.   Je suis très content de te voir.

TAMISE.   C'est un plaisir que tu aurais eu plus tôt si je
n'avais pas trouvé cinq ou six fois porte de bois [6] ... Tes
15 dactylos ont dû te le dire ... Elles me répondaient tou
jours: « Monsieur le directeur n'est pas là. » J'avais
même fini par m'imaginer que tu ne voulais pas me re
cevoir ... Et je t'avoue que je le trouvais un peu fort.

TOPAZE.   Je pense bien! Deux vieux amis comme nous

20   TAMISE.   Surtout que j'ai quelque chose d'important à
te dire.

---

[1] *frock coat.*   [2] *umbrella.*   [3] *nose glasses attached to a cord.*
[4] *chin.* Topaze s'est coupé la barbe.   [5] Théâtre National de la
Comédie-Française fondé en 1680 par ordre de Louis XIV. Il est
sous la direction du Ministère de l'Éducation Nationale.   [6] **la porte
fermée.**

TOPAZE. Dis-le.

TAMISE, *il s'assoit*. Tu sais que je suis ton ami. Un
vieil ami sincère et qui n'a jamais été indiscret. Mais ce
que j'ai à te dire est très grave, puisqu'il s'agit de ta réputation ...   5

TOPAZE. Ma réputation ?

TAMISE. Ça me fait de la peine de te le dire. Mais
devant moi on a parlé de ton associé comme d'un politicien
.. taré[1] ... et, même, un parfait honnête homme m'a
laissé entendre que tu ne l'ignorais pas et que tu faisais des   10
affaires douteuses.

TOPAZE. Douteuses ?

TAMISE. Douteuses. D'ailleurs, ces bruits ont reçu
la consécration[2] de la presse ... Voici un écho qui m'a
été remis par un parfait honnête homme et qui a paru, il y a 15
fort longtemps, dans un journal des plus sérieux. (*Il
lui donne un petit bout de papier qu'il sort de son portefeuille. Topaze le prend.*)

TOPAZE. Eh bien ? Quelles sont tes conclusions ?

TAMISE. Mon cher, je suis venu t'avertir. Regarde   20
de près les affaires que tu traites avec ce monsieur ... Et,
d'autre part, écris aux journaux pour les détromper.[3]

TOPAZE. Mon vieux Tamise, je te remercie. Mais je
suis parfaitement fixé sur toutes les affaires que j'ai traitées
jusqu'ici.   25

TAMISE, *son visage s'éclaire*. Elles ne sont pas douteuses ?

TOPAZE. Pas le moindre doute. Toutes ces affaires
sont de simples tripotages,[4] fondés sur le trafic[5] d'influence, la corruption de fonctionnaires et la prévarica-   30

---

[1] *of ill repute.*   [2] *confirmation.*   [3] *to undeceive them, put them right.*
[4] *graft.*   [5] *trading, dealing.*

tion.[1] (*Tamise, ahuri,*[2] *le regarde. Puis il éclate d'un rire
énorme et confiant.*)

TAMISE.   Sacré Topaze !

TOPAZE.   Je ne plaisante pas.

5   TAMISE *rit de plus belle.*   Tu me donnes une leçon . . .
mais j'avoue que je l'ai méritée . . . Que veux-tu ! On
m'avait dit ça avec tant d'assurance. Et ce journal . . .
(*Il regarde Topaze en riant et finit par dire.*)   Et puis, je
ne sais pas si c'est parce que tu as tellement l'air d'un
10   acteur, mais j'ai presque failli te croire !

TOPAZE.   Mais il faut me croire ! Tout ce que j'ai fait
jusqu'ici tombe sous le coup de la loi. Si la société était
bien faite, je serais en prison.

TAMISE.   Que dis-tu ?

15   TOPAZE.   La simple vérité.

TAMISE.   Tu as perdu la raison ?

TOPAZE.   Du tout.

TAMISE, *se lève en tremblant.*   Quoi ! C'est donc vrai ?
Tu es devenu malhonnête ?

20   TOPAZE.   Tamise, mon bon ami, ne me regarde pas avec
horreur et laisse-moi me défendre avant de me condamner . . .

TAMISE.   Toi ! Toi qui étais une conscience, toi qui
poussais le scrupule jusqu'à la manie [3] . . .

25   TOPAZE.   Je puis dire que pendant dix ans, de toutes
mes forces, de tout mon courage, de toute ma foi, j'ai
accompli ma tâche de mon mieux avec le désir d'être utile.
Pendant dix ans, on m'a donné huit cent cinquante francs
par mois. Et un jour, parce que je n'avais pas compris
30   qu'il me demandait une injustice, l'honnête Muche m'a
fichu [4] à la porte. Je t'expliquerai quelque jour comment

---

[1] *betrayal of trust.*   [2] *aghast.*   [3] *to extremes.*   [4] *mis.*

non destin m'a conduit ici et comment j'ai fait, malgré
moi, plusieurs affaires illégales. Sache qu'au moment où
j'attendais avec angoisse le châtiment[1] on m'a donné la
récompense que mon humble dévouement n'avait pu
obtenir: les palmes.   5

TAMISE, *ému.* Tu les as?

TOPAZE. Oui, et toi?

TAMISE. Pas encore.

TOPAZE. Tu le vois, mon pauvre Tamise. Je suis
sorti du droit chemin, et je suis riche et respecté.   10

TAMISE. Sophisme.[2] Tu es respecté parce qu'on
ignore ton indignité.[3]

TOPAZE. Je l'ai cru, mais ce n'est pas vrai. Tu parlais
tout à l'heure d'un parfait honnête homme qui t'a renseigné. Je parie[4] que c'est Muche?   15

TAMISE. Oui, et si tu l'entendais s'exprimer sur ton
compte, tu rougirais.

TOPAZE. Ce parfait honnête homme est venu me voir.
Je lui ai dit la vérité. Il m'a offert un faux témoignage,
la main de sa fille et la présidence de la distribution des 20
prix.[5]

TAMISE. La présidence ... Mais pourquoi?

TOPAZE. Parce que j'ai de l'argent.

TAMISE. Et tu t'imagines que pour de l'argent ...

TOPAZE. Mais oui, pauvre enfant que tu es ... Ce   25
journal, champion de la morale, ne voulait que vingt-
cinq mille francs. Ah! l'argent ... Tu n'en connais pas
la valeur ... Mais ouvre les yeux, regarde la vie, regarde
les contemporains ... L'argent peut tout, il permet tout,
il donne tout ... Si je veux une maison moderne, une   30

---

[1] la punition.   [2] *False reasoning.*   [3] *unworthiness, odiousness.*
[4] *bet.*   [5] *graduation exercises.*

fausse dent invisible ou mon éloge[1] dans les journaux
l'obtiendrai-je par des prières, le dévouement ou la vertu
Il ne faut qu'entr'ouvrir[2] ce coffre[3] et dire un petit mot
« Combien ? »   (*Il a pris dans le coffre une liasse[4] d*
5 *billets.*)   Regarde ces billets de banque, ils peuvent teni
dans ma poche, mais ils prendront la forme et la couleur de
mon désir.   Confort, beauté, santé, honneurs, puissance, je
tiens tout cela dans ma main … Tu t'effares, mon pauvre
Tamise, mais je vais te dire un secret: malgré les rêveurs
10 malgré les poètes et peut-être malgré mon cœur, j'ai appri
la grande leçon: Tamise, les hommes ne sont pas bons
C'est la force qui gouverne le monde, et ces petits rec
tangles de papier, voilà la forme moderne de la force.

TAMISE.   Il est heureux que tu aies quitté l'enseigne
15 ment, car si tu redevenais professeur de morale …

TOPAZE.   Sais-tu ce que je dirais à mes élèves ?   (*I.
s'adresse soudain à sa classe du premier acte.*)   « Me
enfants, les proverbes que vous voyez au mur de cette
classe correspondaient peut-être jadis à une réalité dis
20 parue.   Aujourd'hui on dirait qu'ils ne servent qu'à
lancer la foule sur une fausse piste[5] pendant que les malin
se partagent la proie; si bien qu'à notre époque le mépri
des proverbes, c'est le commencement de la fortune … »
Si tes professeurs avaient eu la moindre idée des réalités
25 voilà ce qu'ils t'auraient enseigné, et tu ne serais pas
maintenant un pauvre bougre.[6]

TAMISE.   Mon cher, je suis peut-être bougre, mais je ne
suis pas pauvre.

TOPAZE.   Toi ?   Tu es pauvre au point de ne pas le
30 savoir.

---

[1] *praises.*   [2] **ouvrir un peu.**   [3] *safe.*   [4] *bundle.*   [5] *track, route*
[6] *wretched person.*

TAMISE. Allons, allons... Je n'ai pas les moyens de
me payer beaucoup de plaisirs matériels, mais ce sont les
plus bas.

TOPAZE. Encore une blague [1] bien consolante! Les
riches sont bien généreux avec les intellectuels: ils nous
laissent les joies de l'étude, l'honneur du travail, la sainte
volupté [2] du devoir accompli; ils ne gardent pour eux
que les plaisirs de second ordre, tels que caviar, salmis de
perdrix,[3] Rolls-Royce, champagne et chauffage central [4]
au sein de la dangereuse oisiveté! [5]

TAMISE. Tu sais pourtant que je suis très heureux!

TOPAZE. Tu pourrais l'être mille fois plus si tu pouvais
jouir du progrès. Et pourtant, le progrès, ceux qui l'ont
permis, ce sont les gens à grosse tête,[6] les gens comme toi.

TAMISE. Allons donc... Tu sais bien que je n'ai
rien inventé.

TOPAZE. Je le sais bien... Tu n'es pas un de ceux qui
nourrissent la flamme, mais tu la protèges de tes pauvres
mains, et j'ai la rage au cœur de les voir pleines d'engelures [7]
parce que tu n'as jamais pu te payer ces gants de peau grise
fourrée de lapin [8] que tu regardes depuis trois ans dans la
vitrine [9] d'un magasin.

TAMISE. C'est vrai. Mais ils coûtent soixante francs.
Je ne puis pourtant pas les voler.

TOPAZE. Mais c'est à toi qu'on les vole puisque tu les
mérites et que tu ne les as pas! Gagne donc de l'argent!

TAMISE. Comme toi? Merci bien. Et puis, moi, je
n'ai pas les mêmes motifs.

---

[1] *a lot of " bunk."*   [2] **grand plaisir.**   [3] *pigeon stew.*   [4] *steam heat.*
[5] *idleness.*   [6] *brainy.*   [7] *chilblains.*   [8] *lined with rabbit fur.*   [9] *show
window.*

TOPAZE.   Quels motifs ?

TAMISE.   Toutes ces théories, je vois très bien d'où elles viennent.   La femme que tu veux épouser te demandera de l'argent ...

5 TOPAZE.   Elle aura raison.

TAMISE.   Je te l'avais bien dit, Topaze.   C'est une chanteuse [1]...   Et peut-être une chanteuse qui ne chante même pas ...   Ça coûte cher.

TOPAZE.   Tu as vu des femmes qui aiment les
10 pauvres ?

TAMISE.   Tu ne vas pourtant pas dire qu'elles font toutes le même calcul ?

TOPAZE.   Non.   Je dis qu'en général elles préfèrent les hommes qui ont de l'argent ou qui sont capables d'en
15 gagner ...   Et c'est naturel.   Aux temps préhistoriques, pendant que les hommes dépeçaient [2] la bête abattue et s'en disputaient les lambeaux,[3] les femmes regardaient de loin ...   Et quand les mâles se dispersaient en emportant chacun sa part, sais-tu ce que faisaient les femmes ?   Elles
20 suivaient amoureusement celui qui avait le plus gros bif- teck.[4]

TAMISE.   Allons, Topaze, tu blasphèmes ...   Et puis, même si tu as raison, je ne veux pas te croire ...   Topaze, si tu n'es pas complètement pourri,[5] fais un effort ...
25 Sauve-toi ...   Quitte cette femme qui te perdra, viens, pars tout de suite avec moi ...

TOPAZE.   Tu es fou, mon bon Tamise ...   Ce n'est pas moi qu'il faut sauver.   C'est toi.   Veux-tu quitter la pension Muche ? ...   Veux-tu travailler avec moi ?

30 TAMISE.   Quand tu feras des affaires honnêtes.

---

[1] *singer,* also *blackmailer.*   [2] *cut to pieces.*   [3] *bits of flesh.*   [4] *beef- steak.*   [5] *rotten to the core.*

TOPAZE. Celles que je ferai désormais le seront, mais pas pour toi. Pour gagner de l'argent, il faut le prendre à quelqu'un...

TAMISE. Mais, à ce compte, il n'y aurait plus d'honnêtes gens. 5

TOPAZE. Si. Il reste toi. Viens demain me voir et nous étudierons la possibilité de changer ça.

TAMISE. Ah! non!... Surtout s'il ne reste plus que moi. Ils me feront peut-être une pension. (*La porte s'ouvre. Suzy paraît.*) 10

SUZY. Vous êtes occupé? Je vous attends. Régis est parti. (*Elle sourit. Elle sort. Un silence.*)

TAMISE. C'est cette Dalila [1] qui t'a rasé le poil? [2]... Elle est belle.

TOPAZE. Écoute, peux-tu venir me voir demain matin? 15

TAMISE. Oui, c'est jeudi.[3]

TOPAZE. Eh bien, à demain, mon vieux, excuse-moi...

TAMISE, *avec une grande indulgence.* Va, je t'excuse. (*Topaze sort. Tamise, resté seul, regarde le bureau. Il hoche [4] la tête. Il essaie les fauteuils de cuir, puis il va* 20 *s'asseoir au bureau de Topaze, dans une attitude qu'il croit être celle d'un homme d'affaires. Brusquement, à côté de lui, le téléphone sonne. Il tressaille,[5] il se lève d'un bond. Entre une dactylo... Elle prend le récepteur.[6]*)

LA DACTYLO. « Oui, monsieur le ministre... (*Tamise,* 25 *automatiquement, ôte son chapeau.*) Non, monsieur le ministre, M. le directeur est sorti... Demain matin, monsieur le ministre. Bien, monsieur le ministre...»

---

[1] allusion à Dalila, la femme de Samson.   [2] *hair* (of the body), hence weaken him as was the case with Samson.   [3] En France il n'y a pas de classes le jeudi après-midi.   [4] *shakes.*   [5] *gives a start.*
[6] *receiver.*

(*Elle raccroche*[1] *et elle inscrit la communication sur un bloc-notes.*[2])

TAMISE. Dites donc, mademoiselle, il y a ici un personnel assez nombreux ?

5 LA DACTYLO. Cinq dactylos.

TAMISE. Et qui est le secrétaire de M. le directeur ?

LA DACTYLO. Il n'en a pas.

TAMISE. Ah ? Il n'a pas de secrétaire ? (*Et, pendant qu'elle met de l'ordre sur le bureau, Tamise sort, pensif,*
10 *pendant que le rideau descend.*)

RIDEAU

[1] *hangs up.*   [2] *pad.*

EXERCICES

Acte I, scènes I et II

A. Questionnaire

1. Où est-ce que le premier acte a lieu? 2. Que pouvez-vous dire de la mise en scène? 3. Faites la description de M. Topaze. 4. Qu'est-ce que M. Topaze était en train de faire au lever du rideau? 5. Qu'est-ce que ceci indique sur son caractère? 6. Qui est Mlle Ernestine? 7. Qu'a-t-elle demandé à M. Topaze? 8. Quelle qualité M. Topaze fait-il voir ici? 9. Qu'est-ce qui nous montre que M. Topaze a l'esprit critique? 10. Lequel des deux personnages est le plus sincère? Que pouvez-vous dire pour appuyer votre réponse? 11. Quels reproches Ernestine a-t-elle faits à M. Topaze? 12. Pourquoi faut-il éviter les formes *eusse, eût, eussiez* dans la conversation? 13. Quelle explication M. Topaze a-t-il donnée parce qu'il n'offrait plus ses services à Mlle Ernestine? 14. Qu'est-ce que Mlle Ernestine a pensé de cette explication? 15. Quel était le but du jeu de Mlle Ernestine? 16. Quelle qualité nous fait-elle voir ici? 17. Pourquoi M. Topaze a-t-il eu une petite émotion? 18. Pourquoi l'expression « Revenons à nos moutons » est-elle très à propos ici? 19. Comment trouvez-vous M. Topaze dans cette scène? 20. Qu'avez-vous appris sur son caractère?

B. Exercices de vocabulaire

I. 1. Quel animal nous fournit la laine?

2. A quoi sert: une serviette, une montre, de l'encre, un flacon, un tramway, de la craie, un calendrier, un livre?

3. De quoi se sert un professeur pour corriger les devoirs ?

4. Que veut dire en français:

un collègue	correct	un secret
un professeur	fâché	désobéir
un beau parleur	défendu	un jour

II. Donnez les synonymes ou les contraires des mots et des expressions suivants:

1. à droite. 2. bon marché. 3. ne ... point. 4. le plaisir. 5. réussir à. 6. un flacon. 7. solliciter. 8. beaucoup. 9. quitter. 10. offrir. 11. craindre. 12. redouter. 13. il me semble. 14. refuser. 15. un chagrin. 16. il me les faut. 17. être fâché. 18. une chose défendue. 19. pareil. 20. désobéir.

C. Expressions idiomatiques

(a) Traduisez-les en anglais; (b) expliquez-les en français; (c) employez-les dans des phrases:

1. à l'improviste	4. en avance	7. il me les faut
2. un coup d'œil	5. faire des reproches	8. je viens d'acheter
3. de mon mieux	6. il y a quinze jours	9. je veux bien

D. Composition libre

1. Ce que vous avez appris sur le caractère de M. Topaze dans ces deux scènes.

2. Un résumé de la scène entre M. Topaze et Mlle Ernestine.

Acte I, scène III

A. Questionnaire

1. Faites la description de M. Muche. 2. Quelle était l'attitude de M. Topaze auprès de M. Muche ? 3. Pourquoi M. Muche a-t-il fait des reproches à M. Topaze ? 4. Quel

était le règlement de l'école au sujet des leçons particulières ?
5. Pourquoi M. Muche était-il choqué ? 6. Qu'est-ce qui
prouve que M. Muche est très intéressé (*mercenary*) ? 7. D'a-
près M. Muche quelle sera la portée de cette initiative de M.
Topaze ? 8. Quel est le luxe dont M. Muche a accusé M. Topaze ? 9. Qu'est-ce qui prouve que M. Topaze s'intéresse
beaucoup à ses élèves ? 10. Pourquoi appelle-t-on ces livres
« la bibliothèque de fantaisie » ? 11. Quelle nouvelle est-ce que
M. Topaze a annoncée au directeur ? 12. Qu'est-ce qui montre
le côté dur du caractère de M. Muche ? 13. Était-il reconnaissant à M. Topaze de ses efforts ? 14. Que pensez-vous de l'attitude de M. Muche à l'égard du nouvel élève ? 15. Qu'est-ce
qui nous fait croire que M. Muche n'est pas sincère ? 16. Qu'est-
ce que la particule *de* devant un nom de famille indique en français ? 17. Qu'est-ce qui indique à M. Topaze que ce garçon est
un sujet d'élite ? 18. Quelle est l'attitude de M. Muche à cet
égard ? 19. Qu'est-ce qui nous fait croire que M. Muche est
hypocrite ? 20. Lequel des deux personnages devrait être
reconnaissant ? 21. Qu'est-ce que M. Muche a raconté à M.
Topaze au sujet des palmes académiques ? 22. Qu'est-ce qu'on
a appris sur le caractère de M. Topaze ?

B. Exercices de vocabulaire

I. Expliquez en français les mots et les expressions suivants:

1. une leçon particulière. 2. gratuit. 3. laborieux. 4. une
famille. 5. désormais. 6. cela vous regarde. 7. il m'appartient. 8. un ouvrage. 9. réussir. 10. accueillir. 11. fâcheux.
12. une tante. 13. un ingrat. 14. remettre. 15. ancien.

II. Trouvez dans le texte des mots de la même famille:

un journal	le travail	décider
le directeur	généreux	spirituel
pénible	une œuvre	partager
la nécessité	servir	reconnaissant

C. Expressions idiomatiques

(*a*) Traduisez-les en anglais; (*b*) expliquez-les en français;
(*c*) employez-les dans des phrases:

1. dire deux mots
2. avoir de la peine à
3. être tenu de
4. s'occuper de
5. faire donner des leçons
6. quant à

7. se rendre compte
8. en train de
9. un ouvrage aurait-il disparu ?
10. tiens !
11. j'ai dû refuser
12. d'autant plus que

D. Composition libre

1. Résumé de la scène: (*a*) les reproches de M. Muche;
(*b*) le nouvel élève; (*c*) les frais de la pension Muche; (*d*) les
palmes académiques.

2. Le caractère de M. Topaze par contraste avec celui de
M. Muche.

Acte I, scènes IV et V

A. Questionnaire

1. Faites la description de M. Tamise. 2. Qu'est-ce qui
nous fait voir que M. Topaze est surpris de voir M. Tamise ?
3. Quelle nouvelle M. Topaze a-t-il annoncée à M. Tamise ?
4. Pourquoi, d'après M. Tamise, est-ce que M. Topaze n'a
pas reçu les palmes académiques ? 5. Faites la description
de M. Panicault. 6. Pour quelle raison M. Topaze désirait-il
consulter M. Panicault ? 7. Quelle situation est-ce que M.
Topaze lui a exposée ? 8. Quels moyens M. Topaze a-t-il
essayés pour faire arrêter la musique ? 9. Quel a été l'effet de
ces trois notes sur M. Topaze ? 10. Quel est le système de M.
Panicault pour maintenir la discipline ? 11. Que signifie en
anglais « Il a une tête à ça » ? 12. Quels sont les avantages du

système de M. Panicault ? 13. Quelles sont les idées de M. Topaze sur le système de M. Panicault ? 14. Quelle explication est-ce que M. Panicault a donnée de tout ce qui nous arrive dans la vie ? 15. Comment M. Panicault a-t-il agi pour pincer l'élève qui criait ? 16. Quelle explication peut-on donner de la chute de *ne* dans une négation ?

B. EXERCICE DE VOCABULAIRE

1. Que fait un tailleur ? 2. Quand faut-il porter un parapluie ? 3. Que porte-t-on dans une serviette ? 4. Expliquez en français « tôt ». 5. Quand porte-t-on un chapeau de paille ? 6. Quelles sont les fonctions d'un concierge ? 7. Que doit faire une personne qui est de trop ? 8. Que donne un poêle ? 9. Expliquez en français: un coupable, une injustice, un examen. 10. Qu'est-ce que c'est qu'un pion ?

C. EXPRESSIONS IDIOMATIQUES

(*a*) Traduisez-les en anglais; (*b*) expliquez-les en français; (*c*) employez-les dans des phrases:

1. ça va bien	9. tout à l'heure
2. cela veut dire	10. de temps en temps
3. tout de même	11. il vaut mieux les choisir
4. s'y prendre	12. tout ce qui nous arrive
5. j'ai huit ans	13. il va se faire pincer
6. avoir l'air	14. à voix basse
7. je viens de trouver	15. à quatre pattes
8. de quoi s'agit-il ?	

D. COMPOSITION LIBRE

1. Le problème de discipline que M. Topaze a présenté à M. Panicault.

2. Le système de M. Panicault pour maintenir la discipline.

Acte I, scènes VI et VII

A. Questionnaire

1. Pourquoi M. Topaze n'aime-t-il pas la méthode de M. Panicault ? 2. Quel plan M. Tamise a-t-il donné à M. Topaze pour prendre son musicien sur le fait ? 3. Qu'est-ce qui montre la bonté d'âme de M. Topaze ? 4. Qu'est-ce qui fait croire à M. Tamise que « ça marche assez fort » entre M. Topaze et Mlle Ernestine ? 5. Qu'est-ce que M. Topaze a dit pour appuyer l'opinion de M. Tamise ? 6. Si Mlle Ernestine aime M. Topaze qu'est-ce que cela encouragera M. Topaze à faire ? 7. Si M. Topaze se marie avec Mlle Ernestine, quels en seront les avantages ? 8. Quels conseils M. Tamise a-t-il donnés à M. Topaze pour faire sa cour et demander la main à Mlle Ernestine ? 9. Pourquoi M. Topaze doit-il s'adresser aussi au père de Mlle Ernestine ? 10. Quel service a-t-il demandé à M. Tamise ? 11. Pourquoi le moment était-il favorable pour parler à M. Muche ? 12. Qu'est-ce que M. Topaze a dit de la tante de son élève ? 13. Qu'est-ce que M. Topaze a ressenti en parlant à la tante de son élève ?

B. Exercice de vocabulaire

1. Que fait: un monsieur, un professeur, un élève, un directeur, un domestique ?

2. A quoi sert: une mappemonde, un morceau de craie, un tapis, du parfum, un sou, des souliers, des bas, un coussin, un banc, des devoirs ?

3. Que signifie en français:

se rapprocher	bien entendu	adoucir	s'en charger
à peu près	avouer	au secours	quoique
sûr	la flamme	faire tellement de	fort riche
une comédie	réussir	peine	un mondain

C. Expressions idiomatiques

(*a*) Traduisez-les en anglais; (*b*) expliquez-les en français;
(*c*) employez-les dans des phrases:

1. prendre sur le fait	7. faire de la peine
2. petit à petit	8. s'en charger
3. à peu près	9. se douter de
4. tout à l'heure	10. à pas de loup
5. se rendre compte	11. tenir à les conserver
6. le grand jeu	12. avoir l'air

D. Composition libre

1. Le plan de M. Tamise pour faire la cour à Mlle Ernestine.
2. M. Topaze et la tante de son élève.

Acte I, scènes VIII et IX

A. Questionnaire

1. Que savez-vous déjà de Mlle Suzy Courtois ? 2. Pourquoi est-elle venue à la pension Muche ? 3. Comment M. Muche a-t-il agrandi la cour de sa pension ? 4. Quelle déception Mlle Suzy Courtois a-t-elle éprouvée ? 5. Quelle a été son impression de la pension Muche ? 6. Quelle a été la déception de M. Topaze ? 7. Dans ce cas qu'est-ce que Mlle Suzy Courtois a offert de faire ? 8. Qu'est-ce qui nous fait voir qu'elle était bien disposée envers M. Topaze ? 9. A quoi M. Muche a-t-il pensé quand il a fait la connaissance de Mlle Suzy Courtois ? 10. Pourquoi M. Muche a-t-il dit « Charmant enfant » en parlant du neveu de Mlle Courtois ? 11. Pour quelle raison M. Muche a-t-il appelé le neveu « un sujet d'élite » ? 12. Quelles raisons pourraient empêcher Mlle Courtois de confier son neveu à M. Muche ? 13. D'après M. Muche qu'est-ce que le neveu gagnerait s'il entrait à la pension Muche ? 14. En quels termes

est-ce que Mlle Courtois a parlé de M. Topaze? 15. Que
pensez-vous de la sincérité de M. Muche? 16. Pourquoi M.
Muche a-t-il voulu que Mlle Courtois aille jusque dans son
bureau?

B. Exercice de vocabulaire

Trouvez dans le texte le contraire des mots et des expressions suivants:

bonsoir	défendre	lent	le déshonneur	près de
désoler	diminuer	solide	tant mieux	lourd
impossible	grand	favorable	malheureux	moins

C. Expressions idiomatiques

(*a*) Traduisez-les en anglais; (*b*) expliquez-les en français;
(*c*) employez-les dans des phrases:

1. faire bonne contenance
2. arriver à faire tenir
3. en somme
4. tant pis
5. parler à la légère
6. quant à Gaston
7. faites-moi la grâce
8. tout à l'heure
9. quelle que soit la décision
10. pour ainsi dire
11. un sujet d'élite
12. une fleur en bouton

D. Composition libre

1. La visite de Mlle Suzy Courtois.
2. L'impression de Mlle Suzy Courtois sur la pension Muche.

Acte I, scènes X et XI

A. Questionnaire

1. A quoi pensait M. Topaze quand il a dit « Ça va s'arranger »? 2. Quel reproche Mlle Ernestine a-t-elle fait à M.
Topaze? 3. Qu'est-ce qui prouve que M. Topaze est très

aimable? 4. Quel service Mlle Ernestine a-t-elle demandé
à M. Topaze? 5. Pourquoi ne veut-elle pas se promener
avec les enfants? 6. Que pensez-vous de l'attitude de Mlle
Ernestine envers M. Topaze? 7. Approuvez-vous M. Topaze?
Pourquoi? Donnez des raisons. 8. D'après Mlle Ernestine
pour quelle raison M. Topaze demanderait-il à faire la promenade? 9. Quel mot indique ici que M. Topaze a demandé la
main de Mlle Ernestine? 10. Comment est-ce que Mlle Ernestine a reçu les avances de M. Topaze? 11. Pourquoi est-ce que
M. Topaze croit que « ça y est » ?

B. Expressions idiomatiques

(*a*) Traduisez-les en anglais; (*b*) expliquez-les en français;
(*c*) employez-les dans des phrases:

1. c'est-à-dire
2. tenez
3. avoir besoin
4. je tiens à vous dire
5. le directeur vient de décider

6. ça ne vous dit rien
7. pas du tout
8. mais oui
9. elle a peine à retenir
10. je crois que ça y est

Acte I, scène XII

A. Questionnaire

1. Quelle était la situation dans la salle de classe au début de
la classe? Parlez de la conduite des élèves. 2. Pourquoi M.
Topaze a-t-il retiré le calendrier de Jusserand pour le confier à
Blondet? 3. Que pouvez-vous dire de l'incident avec l'élève
Kerguézec? 4. Que font les élèves pour ennuyer M. Topaze?
5. Que pouvez-vous dire de la musique inopportune? Qu'est-ce
que M. Topaze a dit à celui qui dérangeait la classe de la
sorte? 6. Pourquoi M. Topaze allait-il faire une revision générale? 7. Quelle sorte de question les élèves auront-ils à traiter?

8. Pour quelle raison l'élève Tronche-Bobine a-t-il dit « Il faut faire attention aux courants d'air » ? 9. Comment trouvez-vous l'élève Tronche-Bobine ? 10. Qu'est-ce que M. Topaze a dit à la classe en parlant d'un malhonnête homme ? 11. Quel contraste voyez-vous entre le point de vue de M. Topaze et celui de l'élève Cordier ? 12. Comment trouvez-vous la réponse de l'élève Cordier ? 13. Qu'est-ce que M. Topaze a dit à la classe en parlant d'un honnête homme ? 14. Que pouvez-vous dire de l'incident avec l'élève Séguédille ? 15. Que pouvez-vous dire de la situation dans cette salle de classe française par comparaison avec une salle de classe américaine ? 16. Qu'est-ce que nous apprenons ici sur le caractère de M. Topaze ?

B. Exercice de vocabulaire

Donnez le contraire des mots suivants:

debout	avant	le vice
terminer	devant	malhonnête
excellent	rapide	le jour
la tête	dernier	ne . . . jamais
inutile	la prudence	la guerre
sortir	malheureux	la faiblesse
absent	le mal	mauvais

C. Expressions idiomatiques

(a) Traduisez-les en anglais; (b) expliquez-les en français; (c) employez-les dans des phrases:

1. à côté de
2. du côté de
3. à côté
4. de l'autre côté de
5. quant à
6. avoir besoin
7. avoir lieu
8. faire attention
9. tantôt . . . tantôt
10. par avance

D. Composition libre

1. Un résumé de la leçon de morale.
2. Les tours que les élèves ont joués à M. Topaze.
3. L'attitude des petits français envers leur professeur.

Acte I, scène XIII

A. Questionnaire

Que pouvez-vous dire des sujets suivants ?

1. Le but de la visite de la baronne. 2. Sa façon de flatter M. Topaze. 3. Ce qu'elle a essayé pour acheter la faveur de M. Topaze. 4. Ce que M. Muche a dit et a fait pour faire changer les notes du fils de la baronne. 5. Ce qui prouve la naïveté (*simplicity*) de M. Topaze. 6. L'hypocrisie de M. Muche. 7. Ce que la baronne peut faire pour M. Topaze auprès de M. l'inspecteur d'académie. 8. L'accusation de la baronne. 9. L'explication qu'a donnée M. Topaze du fait que le fils de la baronne faisait de mauvaises études. 10. La réponse de la baronne. 11. Ce que vous pensez de M. Topaze dans cette scène.

B. Exercice de vocabulaire

Trouvez dans le texte des équivalents des mots et des expressions suivants:

1. je suis tout à votre service. 2. il vaudrait mieux. 3. il faut discuter la question tout de suite. 4. comment trouvez-vous ? 5. j'aimerais mieux. 6. je vous laisse le soin de décider du nombre d'heures. 7. à l'instant. 8. laissez-moi. 9. il est question de. 10. sûrement. 11. seulement. 12. au sujet de. 13. pas du tout. 14. en même temps. 15. immédiatement.

C. Expressions idiomatiques

(*a*) Traduisez-les en anglais; (*b*) expliquez-les en français; (*c*) employez-les dans des phrases:

1. je viens vous demander
2. je viens de vous demander
3. il est venu à me demander
4. je tiens à mériter son estime
5. c'est de s'en remettre à lui entièrement
6. une affaire qui me tient à cœur
7. de quoi s'agit-il?
8. à la fois
9. au lieu de
10. avoir l'occasion de
11. il a son couvert chez moi

D. Composition libre

Un résumé de la scène: (*a*) le jeu de Madame la Baronne; (*b*) l'hypocrisie de M. Muche; (*c*) la bonne foi et la naïveté (*simplicity*) de M. Topaze.

Acte I, scènes XIV, XV, XVI et XVII

A. Questionnaire

1. Qu'est-ce que M. Muche a dit à M. Topaze de faire? 2. Quel en sera le résultat si M. Topaze n'obtient pas le pardon de la baronne? 3. De quelle manière M. Tamise a-t-il présenté le cas de M. Topaze? 4. Comment trouvez-vous M. Tamise dans cette situation? 5. Quels encouragements Mademoiselle Ernestine a-t-elle donnés à M. Topaze? 6. De quoi est-ce que M. Muche a parlé à M. Tamise? 7. Quelle sera la punition de M. Tamise? 8. Qu'est-ce qui indique que M. Tamise n'a pas bien surveillé ses élèves? 9. Pourquoi M. Tamise a-t-il mal choisi le moment pour faire la demande de M. Topaze? 10. Pour quelle raison Mlle Ernestine avait-elle fait corriger ses devoirs par M. Topaze? 11. Quelle explication en a-t-elle donnée à son père? 12. Quelle était l'attitude du père envers

M. Topaze ? 13. Qu'est-ce qui s'est passé entre Mlle Ernestine et M. Topaze ? 14. De quoi M. Muche a-t-il accusé M. Topaze ? 15. Quelle est la fin de l'acte ?

B. Exercice de vocabulaire

Trouvez dans le texte des équivalents pour les mots et les expressions suivants:

1. essayer de. 2. je voudrais. 3. je pense que. 4. sûrement. 5. il est beau. 6. il aime une jeune fille. 7. finir par. 8. un homme comme il faut. 9. se marier avec. 10. en un mot. 11. une pièce comique. 12. faire une promenade. 13. une faute. 14. faire venir. 15. vous ne faites plus partie. 16. à partir de.

C. Expressions idiomatiques

(a) Traduisez-les en anglais; (b) expliquez-les en français; (c) employez-les dans des phrases:

1. tout de suite	6. j'ai dû les éteindre
2. du côté de la fenêtre	7. d'autre part
3. à coup sûr	8. il vaudrait mieux
4. de son côté	9. au milieu de
5. à bras ouverts	10. par égard pour

D. Composition libre

1. La ruse de M. Tamise dans sa conversation avec M. Muche.
2. La réponse de M. Muche.
3. La conversation entre M. Muche et Mlle Ernestine.
4. La fin de l'acte.

Acte II, scènes I et II

A. QUESTIONNAIRE

1. Qui est M. Castel-Bénac et qu'est-ce qu'il est en train de faire ? 2. Pour quelle raison Mlle Suzy croit-elle avoir droit à cent cinquante mille francs ? 3. Quel est le rôle de Mlle Suzy dans les affaires de M. Castel-Bénac ? 4. Pourquoi M. Castel-Bénac ne veut-il pas donner à Mlle Suzy plus de cent mille francs ? 5. Quels en seraient les frais les plus importants ? 6. Pourquoi Mlle Suzy est-elle surprise ? 7. D'après Mlle Suzy pourquoi M. Roger a-t-il fait attendre M. Castel-Bénac jusqu'au dernier moment ? 8. Quelle explication M. Castel-Bénac a-t-il donnée de ce retard ? 9. Pourquoi M. Castel-Bénac avait-il besoin de M. Roger dans cette affaire ? 10. Quelle idée Mlle Suzy a-t-elle eue pour décider M. Roger à ne pas faire de demandes excessives ? 11. Qu'est-ce que M. Castel-Bénac avait l'intention de faire de l'immeuble voisin ? 12. De quelle manière M. Castel-Bénac et Mlle Suzy étaient-ils en train de s'enrichir ? 13. A votre avis pourquoi M. Topaze désirait-il voir Mlle Suzy ?

B. EXERCICE DE VOCABULAIRE

Expliquez en français les mots et les expressions suivants:

1. un cadeau. 2. une fortune. 3. faire rentrer un million. 4. lourd. 5. verser de l'argent. 6. content. 7. j'y suis de ma poche. 8. jouer la comédie. 9. tâcher de. 10. soyez calme.

C. EXPRESSIONS IDIOMATIQUES

(a) Traduisez-les en anglais; (b) expliquez-les en français; (c) employez-les dans des phrases:

1. se moquer de
2. si vous tenez à revenir
3. il ne s'agit pas de
4. tout de même

5. il me faut	11. tant mieux
6. cela m'est égal	12. il y a quelque temps
7. allons donc !	13. Régis vient d'acheter
8. à temps	l'immeuble voisin
9. comme d'habitude	14. il s'agit d'une agence
10. faites entrer	15. en effet

D. Composition libre

1. La conversation entre Mlle Suzy et M. Castel-Bénac.
2. Le rôle de M. Roger dans les affaires de M. Castel-Bénac.

Acte II, scènes III et IV

A. Questionnaire

1. Qu'est-ce que M. Topaze a dit à Mademoiselle Suzy ? 2. Pour quelle raison ne pouvait-elle pas maintenir la proposition ? 3. Comment M. Topaze a-t-il expliqué qu'il avait plus le loisir ? 4. Qu'est-ce que Mademoiselle Suzy a offert de faire pour M. Topaze ? 5. Pourquoi M. Castel-Bénac a-t-il dit qu'il serait inutile de prolonger la discussion entre M. Roger et lui ? 6. Pourquoi M. Castel-Bénac était-il en colère contre M. Roger? 7. Que pensez-vous des demandes de M. Roger ? 8. Approuvez-vous sa façon d'agir envers M. Castel-Bénac ? 9. Pourquoi a-t-il joué une petite comédie ? 10. Qu'est-ce que Mlle Suzy a tâché de faire ? 11. Quel intérêt avait-elle dans cette affaire des balayeuses ? 12. Quel rapport voyez-vous entre les politiciens français et américains ? 13. Qu'est-ce qui donnait à M. Castel-Bénac l'occasion de monter des affaires comme celle des balayeuses ? 14. Quel a été le rôle de M. Roger dans ces affaires ? 15. Que pensez-vous de lui ? 16. Quelle est la situation à la fin de la deuxième scène ?

B. Exercice de vocabulaire

Donnez un contraire ou un synonyme des mots et des expressions suivants:

quelque chose	réduire	remettre
le matin	fâcheux	vendre
possible	se rappeler	exiger
accepter	reconnaissant	permettre
aujourd'hui	utile	pareil

injuste	aimer mieux
penser	conserver
forcé	beaucoup
jeune	songer
se moquer de	ouvert

C. Expressions idiomatiques

(*a*) Traduisez-les en anglais; (*b*) expliquez-les en français
(*c*) employez-les dans des phrases:

1. à partir d'aujourd'hui
2. mettre à la porte
3. je lui ferai faire une dictée
4. à tout à l'heure
5. qu'avez-vous ?
6. jamais de la vie
7. en somme
8. tout de même
9. en fait de
10. je tiens à conserver votre estime
11. grâce à
12. en face de
13. à pleines mains
14. prendre congé
15. ma visite n'y est pour rien
16. s'en tirer
17. se passer de

D. Composition libre

La petite comédie que M. Roger a jouée à M. Castel-Bénac.

Acte II, scène V

A. Questionnaire

1. Pourquoi, d'après M. Castel-Bénac, ne s'est-il pas méfié plus tôt de M. Roger? 2. Qu'est-ce que Mlle Suzy lui a conseillé de faire? 3. Quels sont les dangers du choix d'un prête-nom? 4. Pourquoi M. Castel-Bénac avait-il besoin d'un prête-nom? 5. Quelles sont les qualités qu'on doit exiger d'un prête-nom? 6. Quelle a été l'idée de Mlle Suzy? 7. Qu'est-ce qui nous fait voir que Mlle Suzy est une femme d'affaires? 8. Par quel moyen Mlle Suzy croyait-elle pouvoir tenir M. Topaze? 9. De quoi M. Castel-Bénac avait-il peur? 10. Pour quelle raison Mlle Suzy avait-elle songé à M. Topaze pour remplir les fonctions d'un prête-nom? 11. Pourquoi M. Castel-Bénac a-t-il fini par consentir à essayer M. Topaze?

B. Exercice de vocabulaire

Trouver dans le texte l'équivalent des mots et des expressions suivants:

1. prendre garde. 2. il semble que. 3. cependant. 4. un brave garçon. 5. une pensée. 6. celui qui porte une barbe. 7. au commencement. 8. nul. 9. aussitôt que. 10. certain. 11. se figurer. 12. de quoi est-il question? 13. je prends la responsabilité. 14. tout à fait. 15. garder le silence. 16. je n'en sais rien.

C. Expressions idiomatiques

(a) Traduisez-les en anglais; (b) expliquez-les en français; (c) employez-les dans des phrases:

1. que veux-tu.	5. en somme
2. se méfier de	6. il nous faut
3. tomber à l'eau	7. tiens! tiens!
4. on ne s'en tire pas	8. de quoi il s'agit

9. il finira par les ouvrir
10. allons donc !
11. je me charge de

12. avoir l'air de
13. ma foi !
14. dites donc !

D. Composition libre

1. Le rôle de Mlle Suzy dans les affaires de M. Castel-Béna
2. La conversation au sujet de M. Topaze.

Acte II, scènes VI et VII

A. Questionnaire

1. Dans quel dessein Mlle Suzy a-t-elle présenté M. Topaze
M. Castel-Bénac ? 2. Que pouvez-vous dire de l'état d'espri
de M. Topaze à ce moment ? Appuyez votre opinion par de
faits. 3. Pour quelle raison M. Topaze tenait-il à rester dan
l'enseignement ? 4. Quelle différence y a-t-il entre les idées d
M. Topaze et celles de M. Castel-Bénac sur le mot « lucratif »
5. Pourquoi M. Topaze est-il d'abord tout confus quand M
Castel-Bénac parle de la somme qu'il touchera ? 6. Quel
étaient les avantages de M. Topaze aux yeux de M. Castel
Bénac ? 7. Quelles seront les fonctions de M. Topaze
8. Qu'est-ce qui vous montre ici la modestie de M. Topaze
9. Que pensez-vous des idées de M. Topaze sur les profes
seurs ? 10. Qu'est-ce que vous avez appris ici sur les papier
d'état civil ? 11. Pourquoi ces pièces étaient-elles nécessaires
12. Pourquoi est-ce que M. Topaze pense qu'on lui fait l
charité ? 13. Pourquoi M. Topaze a-t-il décidé enfin de signer
14. Pourquoi M. Topaze devait-il changer de chapeau
15. Pour quelles raisons M. Topaze devait-il se taire ?

B. Exercice de vocabulaire

Trouvez dans le texte des équivalents des mots et des ex
pressions suivants:

1. pas du tout. 2. aimable. 3. qui ne travaille pas. 4. vous
rez grande envie. 5. un état, un métier, un emploi. 6. qui
pporte beaucoup d'argent. 7. gagner. 8. causer. 9. plus.
. facile. 11. un instant. 12. demeurer. 13. lieu où l'on
meure habituellement. 14. vrai. 15. j'ai peur. 16. pas un,
l. 17. croire. 18. envoyer chercher. 19. l'opinion. 20. dis-
muler. 21. se figurer. 22. semblable. 23. tout à fait. 24. la
connaissance. 25. je reviendrai.

C. Expressions idiomatiques

(a) Traduisez-les en anglais; (b) expliquez-les en français;
) employez-les dans des phrases:

nous venons de parler	8. il me faut un homme de
s'occuper de vous	confiance
en somme	9. je m'en charge
vous tenez beaucoup à res-	10. faire venir
ter dans l'enseignement	11. tout de suite
il s'agit de remplir	12. je serai de retour
je veux dire	13. à tout à l'heure
en tout cas	14. il avait raison

D. Composition libre

1. Un résumé de la conversation entre Mlle Suzy, M. Castel-
énac et M. Topaze.
2. Les idées de M. Topaze pendant cette conversation.

Acte II, scènes VIII, IX et X

A. Questionnaire

1. Pour quelle raison Roger est-il revenu ? 2. Quelle idée
i est venue à l'esprit en apercevant M. Topaze ? 3. Qu'a-
il essayé de faire ? 4. Que pensez-vous de la façon d'agir
e M. Topaze ? 5. Quelle qualité M. Topaze fait-il voir ici ?

6. Quelle impression les propos de M. Roger ont-ils faite su
M. Topaze ? 7. Qu'est-ce que M. Topaze a appris sur l
compte de M. Castel-Bénac ? 8. Quelle satire sur les profes
seurs voyez-vous ici ? 9. Quelle est la critique des régime
démocratiques ? 10. Par quel moyen M. Topaze peut-il éta
blir la vérité de ce que M. Roger vient de lui dire ? 11. Quell
explication de son retour M. Roger a-t-il donnée à Mlle Suzy
Qu'en pensez-vous ? 12. Si M. Roger voulait être méchan
que pourrait-il faire à M. Castel-Bénac ? 13. Pourquoi, d'a
près Suzy, n'en ferait-il rien ? 14. Que pensez-vous du jeu d
M. Roger dans cette scène ? 15. Qu'est-ce que M. Topaze
dit en revenant de sa visite des bureaux ? 16. Qu'est-ce qu
Mlle Suzy allait faire pour calmer M. Topaze ?

B. Exercice de vocabulaire

Trouvez dans le texte des mots et des expressions équivalents

1. une peinture. 2. je peux. 3. bien que. 4. il est question
de. 5. vous riez. 6. stupide. 7. certainement. 8. sembla
ble, tel. 9. demander. 10. extraordinaire. 11. soupçonner
12. de l'information. 13. informer. 14. ne pas dire la vérité
15. se rendre compte. 16. absolu. 17. sûr. 18. j'insistai
pour faire une chose. 19. penser. 20. je m'occupe de.

C. Expressions idiomatiques

(a) Traduisez-les en anglais; (b) expliquez-les en français
(c) employez-les dans des phrases:

1. au rabais	7. voyons
2. il s'agit de moi-même	8. j'aurais dû m'en douter
3. par égard pour	9. n'importe quoi
4. il vaut mieux arrêter	10. tout à l'heure
5. vous avez tort	11. je tenais à vous dire
6. qui soit au courant	12. à l'avance

D. Composition libre

1. Ce que M. Roger a révélé à M. Topaze.
2. Les menaces de M. Roger.

Acte II, scène XI

A. Questionnaire

1. Quel est le jeu de Mlle Suzy dans cette scène ? 2. Quelles
nt été les premières relations entre Mlle Suzy et M. Castel-
énac ? 3. Qu'a-t-elle fait à la mort de son père ? 4. De quelle
çon a-t-elle expliqué sa situation actuelle ? 5. A votre avis
n quoi a-t-elle menti à M. Topaze ? 6. D'après Mlle Suzy
u'espérait-elle de M. Topaze ? 7. Quelles qualités a-t-elle
ttribuées à M. Topaze ? 8. Si M. Topaze agissait comme il
voulait tout d'abord qu'est-ce qui arriverait à Mlle Suzy ?
. Quel rôle M. Topaze devait-il jouer auprès de Mlle Suzy ?
. Pour quelle raison M. Topaze devrait-il devenir le complice
e M. Castel-Bénac ? 11. Qu'est-ce que M. Topaze a pensé de
tte situation ? 12. Pour rendre service à Mlle Suzy et pour
sauver, qu'est-ce que M. Topaze devait faire ? 13. A votre
vis, pourquoi Suzy était-elle la complice de M. Castel-Bénac ?
4. A votre avis, pourquoi M. Topaze a-t-il consenti à faire
ut ce que Mlle Suzy voulait ? 15. Enfin qu'est-ce que M.
opaze a fait ?

B. Exercice de vocabulaire

Donnez le contraire des mots ou des expressions suivants:

perdre	peu	à droite
stupide	assister à	pleurer
bon	trop	demain
tôt	vendre	certain

désintéressé	nouveau	s'asseoir
faible	la confiance	premier
donner	se taire	cher
un honneur	le pour	rien

C. Expressions idiomatiques

(*a*) Traduisez-les en anglais; (*b*) expliquez-les en françai (*c*) employez-les dans des phrases:

1. se laisser tomber
2. s'occuper de
3. de temps à autre
4. il s'agissait de
5. tout à l'heure
6. vous venez de me raconter
7. j'aurais dû le dénoncer
8. prendre part
9. faire bon visage
10. peu à peu
11. tout de suite
12. à côté
13. en train de
14. tout va bien
15. assister à

D. Composition libre

1. Racontez la vie de Mlle Suzy.
2. La ruse de Mlle Suzy.

Acte III, scène I

A. Questionnaire

1. Décrivez la scène quand le rideau se lève. 2. Qu pouvez-vous dire de M. Topaze à ce moment? 3. Racon tez la conversation entre M. Topaze et la dactylo a sujet de M. Muche. 4. Quelles ont été les distractions de dactylos? 5. A votre avis pour quelles raisons auraient-elle besoin de distractions? 6. Pourquoi est-ce que M. Castel Bénac ne voulait pas admettre la présence de jeunes gens 7. Quelle est votre opinion de la situation dans le bureau de M

Topaze ?   8.   Que pensez-vous de la colère subite de M. Topaze et du changement d'humeur qui l'a suivie ?

B. Exercice de vocabulaire

Expliquez en français les mots et les expressions suivants:

1. immobile.   2. les ordres.   3. accorder.   4. se tromper. 5. brusquement.   6. le visage.   7. absent.   8. interdire.   9. distraire.   10. la faiblesse.   11. pâle.   12. entendez-vous ?   13. parfois.   14. fou.   15. briser.   16. la dactylo.   17. faire un peu de musique.   18. des jeunes gens.   19. la colère.

C. Expressions idiomatiques

(*a*) Traduisez-les en anglais;   (*b*) expliquez-les en français; (*c*) employez-les dans des phrases:

1. avoir l'air	5. il vaut mieux	10. ne m'en veuillez
2. à côté	6. je m'y attendais	pas
3. d'un très mauvais	7. du parti pris	11. faire apporter un
œil	8. s'y remettre	piano
4. d'autre part	9. prenez garde	12. tant pis

D. Composition libre

Votre opinion sur l'état d'esprit de M. Topaze au début de cet acte.

Acte III, scène II

A. Questionnaire

1. Pour quelle raison M. Topaze s'est-il pincé le nez en répondant au téléphone ?   2. Quelles étaient ses pensées à ce moment-là ?   3. Pour quelle raison Mlle Suzy a-t-elle dit avoir confié cette affaire importante à M. Topaze ?   4. Pourquoi M. Topaze a-t-il refusé l'invitation de Mlle Suzy ?   5. Qu'avait

M. Topaze ? 6. Qu'est-ce que M. Topaze a compris en écoutant cette conversation à travers la porte vitrée (deux faits) ? 7. De quoi a-t-il accusé Mlle Suzy ? 8. Pourquoi M. Topaze a-t-il dit avoir accepté la position ? 9. Qu'est-ce qui poursuivait toujours M. Topaze ? De quelle façon ? 10. Qu'est-ce que Mlle Suzy a dit au sujet d'un honnête homme ? 11. Que voyez-vous dans le caractère de M. Topaze ? 12. Pour quelles raisons M. Topaze continuait-il à travailler pour M. Castel-Bénac ? 13. Que pouvez-vous dire au sujet du sentiment de M. Topaze pour Mlle Suzy ? 14. En parlant de M. Castel-Bénac M. Topaze a accusé Mlle Suzy de deux choses. Laquelle des deux est vraie ? 15. Qu'est-ce que Mlle Suzy a dit sur sa vie sentimentale ? 16. A vrai dire, quelle était son attitude ? 17. D'après Mlle Suzy pour quelle raison s'est-elle intéressée à M. Topaze ? 18. Pourquoi est-ce qu'elle ne se permettrait pas d'aimer M. Topaze ? 19. Quelle visite M. Castel-Bénac a-t-il annoncée à M. Topaze ? De quoi s'agissait-il ? 20. De quelle manière pourrait-on gagner trois cent mille francs ? 21. Pourquoi était-il indispensable que M. Topaze reçût M. Rebizoulet ? 22. Que pouvez-vous dire du chèque des balayeuses ? 23. Qu'est-ce que M. Castel-Bénac a dit à M. Topaze de faire de ce chèque ? 24. Que pensez-vous de M. Topaze dans cette scène ?

B. Exercice de vocabulaire

Trouvez dans le texte des synonymes des mots et des expressions suivants:

1. tout à coup. 2. préférer parler. 3. manière. 4. trente jours. 5. employer. 6. faire le récit. 7. nouveau. 8. partir. 9. s'y faire. 10. je vous en sais gré. 11. nul. 12. d'après. 13. oblige. 14. en même temps. 15. sans fortune. 16. joyeux. 17. tout près. 18. changer les idées. 19. rire de. 20. assez. 21. à quoi cela sert-il ? 22. quelquefois. 23. essayer. 24. cependant. 25. à votre égard.

C. Expressions idiomatiques

(*a*) Traduisez-les en anglais; (*b*) expliquez-les en français;
(*c*) employez-les dans des phrases:

1. ce n'est pas la peine
2. vous voulez bien
3. qu'avez-vous ?
4. qu'y a-t-il ?
5. vous vous moquez de moi
6. quant au mot
7. à quoi bon ?
8. il a l'air d'un fou
9. à la fois
10. de mon mieux
11. de tout cœur
12. au courant
13. tout de suite
14. à côté

D. Composition libre

1. La conversation entre Mlle Suzy et M. Topaze.
2. L'affaire des bouches d'égout.

Acte III, scènes III, IV et V

A. Questionnaire

1. Qu'est-ce que Mlle Suzy a dit de M. Topaze à M. Castel-Bénac ? 2. Que lui a-t-elle dit de M. Roger ? 3. Pourquoi M. Castel-Bénac n'avait-il pas peur des journaux ? 4. Quel était l'état d'esprit de M. Topaze quand il est entré ? 5. Croyez-vous que tout ce qu'il dit soit vrai ? Appuyez votre opinion par des faits. 6. Qu'est-ce qui vous fait croire que M. Topaze est victime de son imagination ? 7. Que dit la lettre que M. Topaze a reçue ? 8. Que dit l'article du journal ? 9. D'après M. Topaze qu'est-ce qui se préparait, quel sera le dénouement de tout ceci ? 10. Pour quelle raison les gens se sont-ils arrêtés devant la porte ? 11. Pourquoi l'agent de police est-il venu chez M. Topaze ? 12. Quelle est donc l'explication de la présence de la foule devant la maison de M. Topaze ? 13. A votre avis, pourquoi les dactylos de M. Topaze se conduisaient-elles

de la sorte? 14. Expliquez cette phrase de M. Topaze:
« Est-ce que cette affaire aura des suites? » 15. En quoi M.
Topaze a-t-il changé depuis le premier acte?

B. Exercice de vocabulaire

Trouvez dans le texte d'autres mots de la même famille que
les suivants:

1. stupide. 2. espérer. 3. finir. 4. le danger. 5. un ennui.
6. un chanteur. 7. l'amour. 8. craindre. 9. connaître.
10. évidemment. 11. un bras. 12. tant. 13. douter.
14. gros. 15. un regard. 16. juger. 17. avertir. 18. le destin. 19. la punition. 20. un fou. 21. remercier. 22. marier.
23. la suite.

C. Expressions idiomatiques

(*a*) Traduisez-les en anglais; (*b*) expliquez-les en français;
(*c*) employez-les dans des phrases:

1. tout à l'heure
2. au fond
3. on finira par en faire
4. de mieux en mieux
5. se servir de
6. à fond
7. je m'y attendais
8. tout de même
9. il a l'air de vous surveiller
10. quant aux gens
11. comme d'habitude
12. de côté

D. Composition libre

Ce qui fait croire à M. Topaze que la société va frapper.

Acte III, scènes VI, VII et VIII

A. Questionnaire

1. Que pouvez-vous dire du vénérable vieillard qui est venu
voir M. Topaze? 2. Quel était le but de sa visite? 3. Qu'est-

ce qu'il a dû faire pour se mettre au courant des affaires de M. Topaze ? 4. Comment trouvez-vous ses manières ? 5. D'après lui, quel est le premier devoir de la presse ? 6. A quelle réponse s'attendait-il quand il dit: « Vous n'avez rien à me dire ? » 7. Quelle idée avait-il en tête quand il a parlé d'un certain geste qui pourrait toucher M. Vernickel ? 8. Qu'est-ce que M. Topaze a compris par le mot « certain geste » ? 9. Quelle est la double entente (*meaning*) du mot « enterrement » et de l'expression « exécutez-vous » dans cette scène ? 10. Qu'est-ce qui vous indique que M. Castel-Bénac a tout de suite compris la situation ? 11. Pourquoi est-ce que M. Vernickel a dit au vénérable vieillard de s'adresser à M. Topaze ? 12. De quelle manière est-ce que M. Castel-Bénac s'est débarrassé de M. Vernickel ? 13. Pour quelle raison M. Castel-Bénac a-t-il dit au vénérable vieillard « vous avez un certain toupet » ? 14. Pourquoi M. Castel-Bénac lui a-t-il demandé de sortir à reculons ? 15. Qu'est-ce que M. Topaze a dû penser pendant cet entretien ?

B. Exercice de vocabulaire

Trouvez dans le texte le contraire des mots et des expressions suivants:

1. l'ennui. 2. se taire. 3. accepter. 4. jeune. 5. après-demain. 6. certain. 7. hier soir. 8. trouver. 9. il a tort. 10. dernier. 11. beaucoup. 12. mauvais. 13. commencer. 14. une récompense. 15. un ennemi. 16. laid. 17. bon marché. 18. entrer. 19. la tête.

C. Expressions idiomatiques

(*a*) Traduisez-les en anglais; (*b*) expliquez-les en français; (*c*) employez-les dans des phrases:

1. en quoi puis-je vous servir ?   4. en effet
2. quant à mon nom   5. il a raison
3. venez-en au fait   6. vous tenez donc à voir

7. vous finirez par y passer
8. Castel-Bénac vient d'entrer
9. ai-je l'air d'un débutant ?
10. il vient de votre part

11. vous avez tort
12. vous me feriez plaisir
13. sortir à reculons
14. à tout à l'heure

D. Composition libre

1. La visite du vénérable vieillard.

2. Le contraste entre la façon d'agir de M. Topaze et celle de M. Castel-Bénac.

Acte III, scènes IX et X

A. Questionnaire

1. Parlez du changement d'attitude de M. Muche envers M. Topaze. 2. Quelle en est l'explication ? 3. De quelle manière a-t-il parlé de M. Topaze ? 4. Qu'est-ce qu'il est venu offrir à M. Topaze ? 5. Pour quelle raison a-t-il agi de la sorte ? 6. Qu'est-ce que M. Topaze a dit de lui-même ? 7. Comment est-ce que M. Muche a reçu cette confidence ? 8. Quel est le bon mot de M. Muche ? 9. Qu'est-ce que M. Muche a offert de faire pour M. Topaze ? 10. En quels termes M. Muche a-t-il parlé du départ de M. Topaze de la pension ? 11. De quel sujet important est-ce que M. Muche voudrait entretenir M. Topaze ? 12. Quel était le véritable but de la visite de M. Muche ? 13. Qu'est-ce qu'il a dit de sa fille ? 14. Que pouvez-vous dire de la comédie jouée par Mlle Ernestine ? 15. Quelle a été la réponse de M. Topaze ?

B. Exercice de vocabulaire

Expliquez en français les mots suivants:

ravi	entretenir	essayer	défendre
accueilli	forcé	honnête	jamais

| à peu près | souvent | inutile | tard |
| aveugle | trop | résolu | content |

C. Expressions idiomatiques

(*a*) Traduisez-les en anglais; (*b*) expliquez-les en français;
(*c*) employez-les dans des phrases:

1. allons donc
2. c'est-à-dire
3. à peu près
4. en tout cas
5. qui me tient à cœur

6. tout de même
7. tout à coup
8. je viens de vous dire
9. tout finirait par s'arranger
10. il n'y a pas de quoi saluer

D. Composition libre

Le complot (*plot*) de M. et de Mlle Muche.

Acte III, scène XI

A. Questionnaire

1. Pourquoi M. Castel-Bénac a-t-il dit « ce n'est plus possible » ? 2. Quel cadeau M. Castel-Bénac a-t-il apporté à M. Topaze ? 3. De quelle manière M. Castel-Bénac croyait-il se débarrasser de M. Topaze ? 4. Qu'est-ce que M. Castel-Bénac a compris quand M. Topaze a dit qu'il ne voulait pas une petite indemnité ? 5. Qu'est-ce qui nous fait voir que c'est ici un moment décisif ? 6. Pourquoi M. Topaze a-t-il changé d'avis ? 7. Qu'est-ce que M. Topaze a voulu essayer de faire ? 8. Pourquoi M. Castel-Bénac y a-t-il enfin consenti ? 9. Qu'est-ce que M. Castel-Bénac a dit au sujet de chez Maxim's ? 10. Que pouvez-vous dire des idées de M. Topaze à ce point-ci ?

B. Expressions idiomatiques

(a) Traduisez-les en anglais; (b) expliquez-les en français;
(c) employez-les dans des phrases:

1. Madame vient de me ra-
   conter
2. ce qui s'est passé
3. tenez
4. en plus
5. moins bête qu'il n'en a
   l'air

6. le moins du monde
7. vous qui avez raison
8. en avant
9. à quoi bon?
10. encore une fois
11. faites entrer M. Rebizoulet
12. pour quoi faire?

C. Composition libre

Les événements qui ont contribué au changement des idées de
M. Topaze.

Acte IV, scène I

A. Questionnaire

1. Pourquoi M. Castel-Bénac a-t-il dit que M. Topaze avait
du toupet? 2. Quelle est l'excuse de M. Topaze à l'égard de
Mlle Suzy? 3. Pourquoi sa présence n'était-elle pas absolument nécessaire? 4. Quelle était la raison véritable pour laquelle M. Castel-Bénac ne voulait pas que Mlle Suzy assiste au
règlement? 5. Qu'est-ce que Mlle Suzy a compris à ce sujet?
6. Pourquoi Mlle Suzy toucherait-elle une commission?
7. De quoi a-t-elle accusé M. Castel-Bénac? 8. Pouvez-vous
expliquer ce malentendu (*misunderstanding*)? 9. Que pouvez-
vous dire au sujet de l'affaire du Maroc? 10. Pourquoi Mlle
Suzy est-elle devenue nerveuse? 11. De quelle façon M.
Castel-Bénac a-t-il expliqué son désir de voir M. Topaze seul?
12. Quel changement dans le caractère de M. Topaze peut-
on voir ici? 13. D'après M. Castel-Bénac, quelle est la cause

de ce changement? Comment? 14. En quoi M. Topaze
ressemble-t-il au chimpanzé? 15. Que pouvez-vous dire de
M. Topaze d'après cette conversation? 16. En quoi M.
Castel-Bénac a-t-il changé?

B. Exercice de vocabulaire

Expliquez en français les mots et les expressions suivants:

1. retenir. 2. déplaire. 3. un sot. 4. songer. 5. mensuel.
6. il vaut mieux. 7. remarquer. 8. j'ai besoin de. 9. être.
10. bête. 11. réussir. 12. casser. 13. présent. 14. décidé. 15. triste. 16. apprendre à manger. 17. s'en aller.
18. ignorer. 19. la peur. 20. donner des conseils.

C. Expressions idiomatiques

(a) Traduisez-les en anglais; (b) expliquez-les en français;
(c) employez-les dans des phrases:

1. tout de même
2. quelque part
3. au moins
4. il ne se doute pas
5. vous devez assister à notre règlement
6. par hasard
7. au fond
8. il vaudrait mieux
9. que vous ayez l'air d'attendre
10. vous avez raison
11. vous faites une drôle de
    tête
12. à propos
13. il se prend au sérieux
14. en somme
15. en tout cas
16. j'ai besoin
17. en moyenne
18. vous avez pitié de lui
19. il faisait pitié à regarder
20. d'un drôle d'air

D. Composition libre

La situation actuelle entre Mlle Suzy, M. Castel-Bénac et
M. Topaze.

Acte IV, scène II

A. Questionnaire

1. Quel changement avez-vous remarqué chez M. Topaze ?
2. Quel air avait-il à son arrivée ? 3. Que pouvez-vous dire de
sa politesse envers Mlle Suzy ? 4. Qu'a dit M. Topaze de
l'affaire du Maroc ? 5. Quelle nouvelle extraordinaire M. Topaze a-t-il annoncée à M. Castel-Bénac ? 6. Comment trouvez-
vous M. Topaze ici ? 7. Pourquoi M. Castel-Bénac a-t-il trouvé
M. Topaze un humoriste ? 8. Pourquoi M. Castel-Bénac ne
peut-il rien faire ? 9. De quelle façon M. Castel-Bénac a-t-il
essayé de faire changer d'avis à M. Topaze ? 10. Quelle
opinion M. Topaze a-t-il exprimée sur M. Castel-Bénac ?
11. Que pouvez-vous dire de la dispute entre M. Castel-Bénac
et Mlle Suzy ? 12. Pourquoi Mlle Suzy a-t-elle dit « Voilà le
comble de la vulgarité » ? 13. De quoi M. Castel-Bénac a-t-il
menacé M. Topaze ? 14. Qu'est-ce que Mlle Suzy a dit à
M. Castel-Bénac avant le départ de celui-ci ? 15. Expliquez le changement qui s'est produit dans le caractère de
M. Topaze.

B. Exercice de vocabulaire

1. Qui fait des costumes ? 2. Pourquoi porte-t-on des lunettes ? 3. Que regarde-t-on pour savoir l'heure ? 4. A quoi
sert un règlement de comptes ? 5. Que peut-on faire avec des
chiffres ? 6. Où se trouve le Maroc ? 7. Que faut-il faire
avant de pouvoir fumer une cigarette ? 8. Trouvez un synonyme pour « à partir de ce jour ». 9. Si une chose est drôle, que
fait-on d'habitude ? 10. Pour quelle raison un homme d'affaires travaillerait-il ? 11. Dites une chose qui pourrait vous
faire de la peine. 12. Que fait un bandit ?

C. Expressions idiomatiques

(a) Traduisez-les en anglais; (b) expliquez-les en français;
(c) employez-les dans des phrases:

1. tout de même
2. tout à l'heure
3. de quoi s'agit-il ?
4. venons-en aux chiffres
5. cela veut dire
6. j'ai l'intention de garder
7. tant mieux
8. allons !
9. il en aura de la peine
10. tenez !
11. quant à
12. ça y est !
13. cela va se passer
14. allez-vous-en
15. rira bien qui rira le dernier
16. ne vous gênez pas
17. vous aurez de mes nouvelles
18. je me demande

D. Composition libre

1. Le nouveau Topaze.
2. La décision de M. Topaze au sujet de l'agence.

Acte IV, scène III

A. Questionnaire

1. Pour quelle raison, d'après M. Topaze, Mlle Suzy devrait-elle accepter les excuses de M. Castel-Bénac ? 2. Que pouvez-vous dire du caractère de M. Topaze maintenant ? 3. Combien de temps s'est écoulé (passé) depuis l'acte III et l'acte IV ? 4. Qu'est-ce que c'est que l'affaire du Maroc ? 5. Pour quelle raison est-ce que Mlle Suzy pense que M. Topaze n'a pas changé à son avantage ? 6. De quelle façon est-ce que Mlle Suzy peut continuer à toucher sa commission de huit pour cent des affaires ? 7. Qu'est-ce qui manque encore à M. Topaze ? 8. Qu'est-ce qui a fait penser à Mlle Suzy que c'est à elle que M. Topaze pense ? 9. Que pouvez-vous dire de la petite comédie qu'il lui a jouée ? 10. Que pensez-vous de M. Topaze ici ? 11. En quoi

a-t-il fait des progrès ? 12. Qu'est-ce qui indique que Mlle Suzy a changé d'attitude ? 13. Pourquoi Mlle Suzy est-elle partie ? 14. Qu'est-ce qu'on peut prévoir d'après les actions de Mlle Suzy à la fin de cette scène (deux choses) ?

B. Exercice de vocabulaire

Trouvez dans le texte des équivalents des mots et des expressions suivants:

1. à peine. 2. beaucoup d'argent. 3. ne pas faire plaisir. 4. sans fortune. 5. devenu fou. 6. avertir. 7. pensez-vous. 8. il me faut. 9. tâcher de. 10. rire de. 11. à partir de. 12. c'est à vous de. 13. sans tarder. 14. le succès. 15. en volant. 16. semble.

C. Expressions idiomatiques

(a) Traduisez-les en anglais; (b) expliquez-les en français; (c) employez-les dans des phrases:

1. il ne tient qu'à vous de les conserver
2. pas tout à fait
3. il me manque quelque chose
4. à ravir
5. elle se moque de vous
6. elle aurait tort
7. vous vous trompez
8. tant pis
9. tout de suite
10. du côté de l'appartement

D. Composition libre

1. Un résumé de la conversation entre Mlle Suzy et M. Topaze.

2. La petite comédie que M. Topaze a jouée à Mlle Suzy.

Acte IV, scène IV

A. Questionnaire

1. Que pouvez-vous dire des pensées de M. Topaze en voyant Tamise ? De celles de M. Tamise en voyant M. Topaze ? 2. D'après M. Tamise, de qui M. Topaze a-t-il l'air ? 3. Pourquoi est-ce que M. Tamise n'a pas vu M. Topaze plus tôt ? 4. Quel était le but de la visite de M. Tamise ? 5. Quelle était la chose grave que M. Tamise avait à dire à M. Topaze ? 6. Qu'est-ce qui prouve que M. Tamise avait toujours confiance en son ami M. Topaze ? 7. De quelle manière M. Tamise a-t-il compris la confession de M. Topaze ? 8. Qu'est-ce qui nous montre que M. Topaze ne plaisantait pas ? 9. Qu'est-ce que M. Topaze a dit de sa vie pour se défendre ? 10. Qu'est-ce qu'il a révélé sur M. Muche ? sur le journal ? 11. Quelles étaient les idées de M. Topaze sur le pouvoir de l'argent ? 12. Que dirait M. Topaze à ses élèves s'il était de nouveau professeur de morale ? 13. Qu'a-t-il dit des riches et des intellectuels ? 14. D'après M. Topaze, qui a travaillé pour faire avancer le monde ? 15. Quant à M. Tamise, quelle était l'explication des théories de M. Topaze ? 16. Quelles étaient les idées de M. Topaze sur les femmes et sur l'argent ? 17. A la fin qu'est-ce que M. Topaze a proposé à M. Tamise ? 18. Pour quelle raison M. Topaze est-il parti ? 19. De quoi peut-on se douter ? 20. A votre avis, quel parti M. Tamise prendra-t-il demain ? 21. Quelle est votre opinion de cette pièce ? Quelle en est la valeur ? 22. Quelle leçon morale l'auteur a-t-il voulu donner ?

B. Exercice de vocabulaire

1. Où va-t-on pour se faire couper la barbe ?

2. Que fait un acteur ?

3. Que signifie: porte de bois, un parfait honnête homme ?

4. Donnez le contraire de: un ami sincère, indiscret, jamais, ignorer, un bruit.

5. Que porte-t-on dans un portefeuille ?

6. Exprimez d'une autre façon « j'ai failli croire ».

7. A quoi sert une prison ?

8. Trouvez dans le texte le contraire de:

1. un mensonge. 2. malheureux. 3. la fin. 4. visible. 5. la mort. 6. la folie. 7. honnête. 8. mauvais. 9. mal. 10. la peur. 11. inutile. 12. la justice. 13. légal. 14. la punition. 15. pauvre. 16. vrai. 17. bon marché. 18. fermer. 19. perdre.

9. Que signifie en français:

1. renseigner. 2. croire. 3. le châtiment. 4. il faut. 5. ignorer. 6. obtenir. 7. effarer. 8. un professeur. 9. l'oisiveté. 10. pourtant. 11. un magasin. 12. voler. 13. vouloir. 14. fou. 15. un personnel. 16. une chanteuse.

10. A quoi servent:

une dactylo, une secrétaire, un associé, un professeur, un journal, de l'argent, des gants, un téléphone.

C. Expressions idiomatiques

(a) Traduisez-les en anglais; (b) expliquez-les en français; (c) employez-les dans des phrases:

1. tu as l'air d'un acteur	10. que veux-tu.
2. j'avais fini par m'imaginer	11. de mon mieux
3. je pense bien	12. tout à l'heure
4. il s'agit de ta réputation	13. allons, allons !
5. cela me fait de la peine	14. allons donc !
6. il y a fort longtemps	15. de loin
7. regarder de près	16. tu as raison
8. rire de plus belle	17. à côté de lui
9. d'autre part	18. tout de suite

D. Composition libre

1. La philosophie de M. Topaze telle qu'il l'a exprimée dans cette scène.

2. Le côté satirique de cette pièce.

VOCABULAIRE

A

abandonner to forsake, desert, abandon; give *or* hand over

abattre to beat down, kill

abattu, -e brought down

abominable abominable, hateful

abord *m.* access, approach; **d'—,** at first, first, in the first place; **tout d'—,** at once; **dès l'—,** from the first moment

aboutir to end in, come to

absence *f.* absence

absent, -e absent, far-away

absolument absolutely

absorbé, -e lost in thought

absorber to absorb, imbibe

absurde absurd, silly

abus *m.* abuse, corrupt practice

abuser (de) to take advantage (of), misuse

académie *f.* academy; *see* **inspecteur**

accabler (= **écraser**) to crush, overwhelm

accent *m.* accent, tone

accepter to accept; **— de** agree to

accès *m.* access, approach; fit, attack

accessoire *m.* accessory

accident *m.* accident

accompagner to accompany, go with

accompli, -e completed, accomplished, perfect

accomplir (= **exécuter**) to accomplish, carry out; **s'—,** be realized, be carried out

accorder to grant, accord, conciliate, reconcile; **s'—,** agree

accueil *m.* reception, welcome; **faire (bon) — à** to receive (cordially), welcome

accueillir (= **bien recevoir**) to receive, accept, welcome

accusation *f.* accusation

accuser to accuse

achat *m.* purchase

acheter to buy, buy off

achever to bring to an end

acquérir to acquire

acquis, -e acquired

acte *m.* act(s), deed, action; **— de naissance** birth certificate

acteur *m.* actor

actif, active active

action *f.* activity, action, motion; influence

actuel, -le present, real

adieu *m.* farewell, good-by

admettre to admit, allow

administrateur *m.* administrator, director

administrati-f, -ve administrative

administration f. administration

admirable admirable

admirablement admirably, capitally, exceedingly well

admiration f. admiration

admirer to admire

adoucir (= **rendre doux**) to soften

adresse f. skill, cunning

adresser to address, send; **s'— à** call, speak to, appeal to

affaire f. business, thing, matter, concern, affair, case; *pl.* business; **en —s** in business matters

affection f. affection, fondness, love

affectueu–x, –se affectionate, kind

affirmer to affirm, assert, maintain, declare positively

affolé, –e distracted

affreu–x, –se frightful, ghastly

afin de (= **pour**) in order to

afin que (= **pour que**) in order to

agaçant, –e irritating

agacer to irritate

âge m. age

agence f. agency

agent m. agent; **— de police** policeman

agilité f. nimbleness

agir to act; **s'—**, be about, concern; **il s'agit de** it is a question of

agiter to agitate, shake, disturb

agrandir to enlarge

agréable agreeable

agressi–f, –ve aggressive

aide f. help, assistance

aide m. helper, assistant

aider (à) to help, assist

aigu, aiguë acute

aile f. wing

ailleurs elsewhere; **d'—**, besides, moreover

aimable kind, amiable, gentle

aimer to like, love, be fond of; **— mieux** prefer

ainsi thus, in this way

air m. air, appearance, look; **de quel —?** with what kind of an expression? **avoir l'— (de)** to look (like), appear, seem (like)

aise f. gladness, content; ease, leisure; **à l'—,** at ease

ajouter to add

alcoolique alcoholic

alerte alert, nimble, brisk

allée f. aisle, walk

aller to go, proceed; be (*of health*); **— à** suit; **allons !** come! now then! **allons donc !** nonsense! go along! **ça va bien** all right; **allez !** look here! go on! you may be sure! **— + *inf.*** be going to, start to; **s'en —,** go (away)

allô hello!

allumer to light

allusion f. allusion; **faire —,** to allude

alors then, at that time; **— que** when

ambitieu–x, –se ambitious

âme f. soul, spirit

amener (= **mener avec soin**) to bring (along), take

amer, amère bitter(ly)

américain, –e American

amertume f. bitterness

ami *m.* friend

amitié *f.* friendship

amour *m.* love

amoureusement lovingly

amoureu-x, -se (de) in love (with)

amour-propre *m.* self-esteem, personal pride

amusant, -e amusing

amuser (s') to amuse oneself, have a good time

an *m.* year

ancien, -ne old, ancient; former, of long standing

angoisse *f.* distress, anguish, pang

animal *m.* animal

animer to animate, enliven

année *f.* year, year long

annoncer to announce

annuler to cancel

antialcoolique antialcoholic, against alcoholism

antichambre *f.* anteroom

anxieu-x, -se anxious, uneasy

apercevoir to perceive; **s'—,** notice

apparaître to appear

appartement *m.* apartment

appartenir (à) to belong

appel *m.* call, appeal; **faire — à** to appeal to

appeler to call; **faire —,** send for; **s'—, -se** named *or* called

appliquer to apply; **s'— à** apply (oneself) to, take pains with

apporter to bring, furnish

apprécier to appreciate

apprendre (à) to learn; teach

approbation *f.* approval

approcher: s'— de to approach

approprier (s') to take possession of

appui *m.* support, someone to lean on

appuyer (sur) to emphasize; support, lean (on)

après after; **d'—,** according to

après-midi *m. & f.* afternoon

aptitude *f.* natural talent

archaïque archaic, old, out of date

ardeur *f.* earnestness, eagerness, fervor; **avec —,** ardently

argent *m.* silver; money

armée *f.* army

arracher to tear out *or* off, tear away; **— à** wring from

arranger to set in order, arrange; **s'—,** come out all right

arrêter to stop, arrest; **s'—,** halt, stop, stand still

arrière behind; **en —,** behind, backwards

arrivée *f.* arrival

arriver to arrive, happen, reach; **— à** succeed in; **s'il m'arrive de** if I happen to

article *m.* article

artiste *m. or f.* artist

aspect *m.* sight, view, aspect, appearance

asseoir (s') to sit down; **faire asseoir** beg to be seated

assez (de) enough, rather, fairly, pretty

assister (à) to be present (at)

associé *m.* associate, partner

assoit *see* **asseoir**

assurance *f.* assurance, conviction, insurance

atmosphère *f.* atmosphere

attaché *m.* attaché

attacher to tie, fasten

atteindre to reach, touch

atteinte *f.* blow, hurt; **porter — à** to cast a slur on

attendre to wait (for), expect; **s'— à** expect

attendrir to soften, move, melt, touch

attenti–f, –ve attentive

attention *f.* attention, care, heed; **faire —,** to look out, pay attention

attirer to draw, attract

attitude *f.* attitude

attribuer to ascribe, attribute

aucun, –e none, not any

audace *f.* daring, boldness, audacity

au-dessus (de) above

augmentation *f.* increase, raise

augmenter to increase

aujourd'hui today

auprès (de) near, close to, in connection with, in the service of

aussi also, as, so, therefore

aussitôt directly, forthwith, right away

aussitôt que as soon as

autant as much, as many; **— de** as many as; **— que** as much as; **d'— que** for as much as; **d'— plus que** all the more so, as

automatiquement automatically

automobile *f.* automobile

autorisation *f.* permission

autoritaire authoritative, willful

autorité *f.* authority

autour (de) around

autre other, different; **— chose** something else; **d'—s** others

autrefois formerly

autrement otherwise

avance *f.* advance, start; **à l'—,** ahead of time; **d'—,** in advance; **en —,** beforehand, ahead of time; **par —,** beforehand

avancer to advance, move forward; **s'—,** advance

avant *m.* front

avant before; **en —,** forward; **— de** before; **— que** before

avantage *m.* advantage

avant-hier day before yesterday

avec with

avenir *m.* future

aventure *f.* adventure

avenue *f.* avenue

avertir (= **prévenir**) to warn

avertissement *m.* (= **avis, conseil**) warning

aveu *m.* confession, avowal

aveugle blind

aveuglement *m.* blindness

avis *m.* opinion; **être d'—,** be of the opinion; **changer d'—,** change one's mind

avocat *m.* lawyer

avoir to have; give (*a smile*); make (*a gesture*); **— huit ans** be eight years old; **qu'avez-vous?** what is the matter (with you)? **il y a** there is (are); **qu'y a-t-il?** what is the matter? **il y a quelque chose** something is wrong; **il y a** + *expression of time* ago; **il y a . . . que** it is . . . since

avouer to acknowledge, confess

B

bah ! pshaw !

bain *m.* bath

baiser to kiss

baiser *m.* kiss

baisser to lower, let down, sink

balayeur *m.* street sweeper

balayeuse *f.* mechanical street sweeper

balbutier to stammer

bambou *m.* pointer

banal, –e quite ordinary, commonplace

banalité *f.* commonplace saying

banane *f.* banana

banc *m.* bench; — d'écolier school bench

bandeau *m.* bandage

bandit *m.* bandit, little rogue

banque *f.* bank

banquier *m.* banker

barbe *f.* beard

baron *m.*, baronne *f.* baron, baroness

barré, –e : le front —, his forehead creased

barrer to bar, stop up

bas, basse low; mean, base, vulgar

bas *m.* lower part, bottom; stocking

base *f.* base, basis, bottom

bassin *m.* basin (*of a fountain*)

bataille *f.* battle

bâtir to build

battre to beat, strike, thrash

beau, bel, belle beautiful, fine; rire de plus belle to laugh louder than ever; une belle injustice outright injustice

beaucoup (de) a lot (of), a great deal (of), much, very much

beauté *f.* beauty

bec *m.* beak, mouth, bill

bénéfice *m.* profit(s)

bénéficier to gain, profit, make a profit

besogne *f.* work, toil, task, job

besoin *m.* need, necessity; avoir — de need, want

bête stupid

bête *f.* beast, animal

bêtise *f.* foolishness, stupidity

bibliothèque *f.* library; — de fantaisie classroom library (*for recreational reading*)

bien well, right, properly, quite, very well, certainly, very, very much, favorably, clearly; good; of good position; — des many; eh —! well !

bien *m.* good, right; *pl.* property

bien que (= quoique) although; si bien que so that, and so

bienfaiteur *m.* benefactor

bientôt soon; à —, shortly, in a little while; I'll see you again soon

billet *m.* letter, note, bill, ticket; — (de mille francs) 1000 franc note

blâme *m.* blame, rebuke

blâmer to blame

blanc, blanche white, clean

blasphémer to blaspheme, curse and swear (at)

blessé, –e wounded

blesser to wound, hurt

bleu, –e blue

blond, –e blond, fair, light

blouse *f.* smock, blouse, waist

boire to drink

bois *m.* wood; **pavé de —,** wooden pavement

boîte *f.* box; **— à musique** music box

bon, bonne good, nice, kind, right, true, just; **à quoi —?** what's the use? **n'être — à rien** to be good for nothing, be useless

bond *m.* leap

bondir to leap, spring, bound

bonheur *m.* happiness, good fortune

bonhomme *m.* little man, little fellow

bonjour good day

bonne *f.* maid, servant

bonsoir good evening

bonté *f.* goodness, kindness

bord *m.* border, edge(s), brink, verge

bordé, –e (de) edged, fringed (with)

border (de) to border, skirt; trim (with)

borne *f.* boundary, limit, bound

bouche *f.* mouth

boudoir *m.* boudoir

bouger to stir, budge, move

boule *f.* ball; **—s puantes** stink balls

bourgeois, –e middle class

bout *m.* end, bit, extremity, tip

bouteille *f.* bottle

bouton *m.* button; **en —,** in bud

boutonner to button

brandir to brandish

bras *m.* arm; **à — ouverts** with open arms; **en — de chemise** in shirt sleeves

brave brave; good, fine

braver to defy

bravo ! fine !

bref, brève brief, short

bref *adv.* in a word, briefly, in short

bric-à-brac *m.* odds and ends

brigand *m.* robber, ruffian, brigand, rascal

brillant, –e brilliant

briser to break

brosse *f.* brush

bruit *m.* noise; rumor; **faire du —,** to make a row

brûler to burn

brun, –e brown, brunette

brusquement suddenly, bluntly

brutalement brutally

brute *f.* brute, beast

bulletin *m.* (school) report

bureau *m.* office; office desk

but *m.* purpose, aim, goal, mark, end, object

C

ça = cela; comment ça? how so ?

çà: ah çà come now, now then

cacher to hide

cachette *f.* hiding place; **en —,** secretly, by stealth

cadavre *m.* dead body

cadeau *m.* present

café *m.* café, restaurant

cahier *m.* notebook; **— de notes** classbook

caisse *f.* cashier's office, cash drawer; **passer à la —,** to be discharged

caissier *m.* cashier

calcul *m.* arithmetic, calculation, computation; **refaire le —,** to check

calendrier *m.* calendar

calme calm, still, quiet

calmer to calm, still, quiet

camarade *m.* comrade, mate, fellow

camp *m.* camp, encampment

campagne *f.* country; à la —, in the country

canal *m.* canal

capable (de) capable, apt, qualified (for)

capacité *f.* capacity, ability

capital *m.* capital, funds, cash, of money

car *conj.* (= parce que) for

caractère *m.* character, characteristic

caractérisé, –e marked

caractériser to characterize

carré, –e square, square cut

carrière *f.* career; quarry

carte *f.* card, map; — de géographie map

carton *m.* pasteboard; box

cas *m.* case, circumstance; state of things, situation; emergency; en tout —, at any rate, at all events; en — de in case of

casser to break; — la figure à . . . , punch . . . 's face

catastrophe *f.* catastrophe

cause *f.* cause, motive; à — de on account of

causer to chat; cause

cavalier *m.* horseman

cavali-er, –ère rough, free and easy

cave *f.* cellar, vault

ce, cet, cette, *pl.* ces this, that

ceci this

céder to yield, give way, give in

ceinture *f.* belt; — dorée riches

cela that

celui, celle, *pl.* ceux, celles this, this one, that one, he, she, they, those; —-ci the latter; —-là the former; ceux-ci these; ceux-là those

cent one hundred, hundred; pour —, per cent

centimètre *m.* centimeter ($\frac{1}{100}$ of a meter)

centraliser to centralize

centre *m.* center

cependant (= pourtant) however, nevertheless; meanwhile

cercle *m.* circle, club

cérémonieusement with ceremony

certain, –e certain, sure

certainement certainly

certes certainly

cesse *f.* rest; sans —, unceasingly

chacun, –e each one

chagrin *m.* sorrow, grief, trouble

chaîne *f.* chain

chaire *f.* pulpit, desk, professor's chair

chambre *f.* room

champagne *m.* champagne

champion *m.* champion

chance *f.* luck

chandelle *f.* candle

changement *m.* change

changer (de) to change

chant *m.* singing; leçon de —, singing lesson

chantant, –e easy to be sung, tuneful

chanter to sing, play

chanteu–r, –se *m. & f.* singer
chapeau *m.* hat
chaque each; each one
charge *f.* charge, post, duty, position
charger to load, burden; **— de** commission, entrust with; **se — de** take care of; take it upon oneself, undertake
charité *f.* charity; **faire la —,** to grant charity
charmant, –e charming
charme *m.* charm
charmer to charm
chasser to drive out, chase, hunt
château *m.* castle, country house
chaud, –e hot
chauffer to warm, heat; become hot
chauffeur *m.* chauffeur
chef *m.* head, chief, leader
chemin *m.* road, way, path
cheminée *f.* fireplace, chimney
chemise *f.* gentleman's shirt; folder; *see* **bras**
chêne *m.* oak
chèque *m.* check
cher, chère dear, expensive; **mon —,** old man; my dear girl
cher *adv.* dearly
chercher to look for; **aller —,** go and fetch; *see* **regard**
chéri, –e dear
cheval *m.* horse
chevalier *m.* knight
cheveu *m.* hair; *pl.* hair (*of the head*)
chez to, with, at, to (in *or* at) the room (apartment) of; at the house of; **— lui** in him

chic stylish, nice, " swell "
chiffre *m.* figure, number
chœur *m.* choir; **un —,** chorus; **en —,** in chorus
choisir to choose
choix *m.* choice
choquer to shock
choral *m.* chorus (*of singing*)
chose *f.* thing, object, action, matter, business
chute *f.* fall
cigare *m.* cigar
cigarette *f.* cigarette
cinq five
cinquante fifty
circonstance *f.* circumstance
citoyen *m.* citizen
civil, –e civil
civiliser to civilize
clair, –e clear, light
clairement clearly
classe *f.* class; **salle de —,** classroom
classer to classify
clef [kle] *f.* key; **fermer à —,** to lock
clientèle *f.* trade, practice, business, customers
clos, –e closed
cœur *m.* heart; **tenir à —,** to touch one particularly; **de tout —,** heartily, with all one's heart; **homme de —,** man of feeling
coiffeur *m.* barber, hairdresser; **garçon —,** hairdresser
coin *m.* corner
col *m.* collar; **— cassé** wing collar; **— droit** stand-up collar
colère *f.* anger; **être en —,** to be angry
collaborateur *m.* collaborator

collège *m.* secondary school

collègue *m.* colleague, fellow, professor

colonial, –e colonial

colonie *f.* colony

colonne *f.* column, pillar

colorer to color; justify

combattre to fight (against)

combien (de) *adv.* how, how much *or* many

combinaison *f.* combination; scheme

comble *m.* top, highest degree; **pour —,** to crown all

comédie *f.* comedy, play; acting, sham; **jouer la — à** to act a part before, play a trick on

comique comic, humorous, funny

comme *adv.* as, like; *conj.* as, since, because

commencement *m.* beginning, start

commencer (à) to begin (to)

comment how; **—?** what!

commerçant *m.* merchant

commettre to commit, make, perpetrate, entrust

commission *f.* commission, message, errand

commun, –e common, joint, general, one

communication *f.* communication, message

compagnie *f.* company

comparaison *f.* comparison

comparer to compare

compl–et, –ète complete, whole, total

complètement entirely, wholly

complice *m. or f.* accomplice, a party to

complicité *f.* share, complicity, participation

compliment *m.* compliment, congratulation

comporter to require, involve

composer to compose; **se —** **(de)** be composed (of)

composition *f.* composition, class test

comprendre to understand, comprehend; include; **cela** **se comprend** naturally, of course

compromis, –e involved, implicated, compromised

compte *m.* account, reckoning; bank account; calendar; **à** **mon —,** on my own account; **tout — fait** everything considered; **sur ton —,** about you; **à ce —(-là)** that being the case; **se rendre —,** to realize

compter to count, reckon, count upon, expect

concerner to concern, relate to

concert *m.* concert

concession *f.* grant, concession

concierge *m. or f.* doorkeeper, porter

conclusion *f.* conclusion

concours *m.* help, coöperation; competitive examination

condamnable condemnable, reprehensible

condamner to condemn

condition *f.* condition, state; *pl.* terms

conduire to lead, conduct, guide, drive

conduite *f.* guidance, conduct, management; direction; charge

confession *f.* confession

confiance *f.* trust, reliance, confidence, security; homme de —, one who can be trusted, confidential man

confiant, –e confiding; confident

confidence *f.* confidence; secret

confidentiel, –le confidential

confier (à) to entrust (to)

conflit *m.* conflict

confort *m.* comfort

confus, –e confused, overwhelmed

congé *m.* leave of absence, leave, holiday; prendre — (de) to take leave (of)

conjugal, –e having to do with marriage, conjugal

connaître to be acquainted with, know; il se connaît en he is a judge of

connu, –e known

conscience *f.* conscience, conscientiousness; en toute —, in good faith, with a clear conscience

conseil *m.* advice, counsel; council; counselor

conseiller (de) advise (to)

conseiller municipal *m.* alderman

consentement *m.* consent

consentir (à) to consent (to)

conséquence *f.* conclusion

conserver (= garder) to keep, preserve, maintain

considérable eminent, notable, considerable, great, important

considéré, –e respected

considérer to gaze on, look at, consider, examine, ponder on

consolant, –e consoling

consoler to console

consterné, –e dismayed

consul *m.* consul

consulter to consult

conte *m.* (short) story

contemplation *f.* contemplation, gazing at

contemporain, –e contemporary, of the same time; *m.* contemporary

contenir to hold, contain, repress, keep in; se —, hold in, restrain oneself

content, –e (de) glad, cheerful, happy

contenu, –e pent up

contenu *m.* contents

continent *m.* continent

continuer (à) to continue (to)

contracter to contract, draw (together)

contraire *m.* contrary; au —, on the contrary

contraste *m.* contrast

contrat *m.* contract

contre against; *see* pour

contribuer to contribute

convaincre to convince, satisfy

convenir to be suitable *or* becoming, suit, agree

conversation *f.* conversation

converser to converse, chat

copier to copy

coquet, –te coquettish(ly), nice

corps *m.* body

correct, –e correct, proper

correspondre to correspond

corridor *m.* corridor

corriger to correct

corruption *f.* corruption

costume *m.* suit

côte *f.* rib (*of a stocking*)

côté *m.* side; à —, near-by, next, next door; à — de beside; de —, aside; out of the corner of his eye; de ce —-ci *or* -là on this *or* that side, in that connection; de mon —, for (on) my part; du — de in the direction of, toward, on the side of

coton *m.* cotton

cou *m.* neck

couleur *f.* color; ... de —, colored ...

couloir *m.* corridor, passage

coup *m.* blow, stroke, shock; matter, trick, deal; — de pied kick; — d'œil glance; faire un —, to do something, play a trick; à — sûr surely; gros —s high stakes; du premier —, right away, at the first attempt; tomber sous le — de la loi run afoul of the law

coupable guilty; *m.* culprit

couper to cut (off)

cour *f.* yard, courtyard

courage *m.* courage

courant, –e everyday

courant *m.* stream; everyday affair; — d'air draft; (être) au —, (to be) well informed, be " in the know "; être au — de to be in touch with, be acquainted with; mettre au —, put in touch, inform

courir to run

courrier *m.* mail

cours *m.* course

course *f.* race; trip

court, –e brief, short

coussin *m.* cushion

couteau *m.* knife

coûter to cost

couvert *m.* cloth, cover; **avoir le — (mis)** to dine

craie *f.* chalk

craindre (de) to fear (to)

crainte *f.* fear

cravate *f.* necktie

crayon *m.* pencil

crédit *m.* credit, sum, trust; faire — à to trust, give credit to

crème *f.* cream; cream-colored

creuser to dig

cri *m.* cry

criant, –e glaring

crier to cry

crime *m.* crime

criminel, –le criminal; *m. & f.* guilty person

crise *f.* crisis, attack

critique critical

critique *f.* criticism

croire (à) to believe (in), think

croiser to cross, cut across

cuir *m.* leather

cuisine *f.* kitchen; faire la —, to cook

cuisinière *f.* cook

cuivre *m.* copper

curieu-x, –se curious, strange; *m. & f.* curious *or* inquisitive person

cynique cynical

D

dactylo *m. or f.* typist

dame *f.* lady

dame ! why, of course, really ! well !

danger *m.* danger

dangereu-x, –se dangerous

dans *prep.* in, into, within

danse *f.* dance, dancing

danseuse *f.* dancer

date *f.* date

davantage (= **plus**) more, any more, any longer

de *prep.* of, from, with, by, out of, at

débat *m.* discussion, debate, struggle

déborder to overwhelm, overflow

debout on end, upright, standing

débris *m.* fragment, broken bit, débris, remains, ruins

début *m.* beginning

débutant *m.* beginner

déception *f.* disappointment

décerner to award, bestow

décevoir to deceive, disappoint

déchirer to tear (up)

décidé, **-e** resolutely, with decision

décidément decidedly

décider (**de**) to decide; **se —** à make up one's mind

décisi-f, **-ve** decisive

décision *f.* decision

déclarer to declare, state, disclose, give notice

déconcerté, **-e** abashed, out of countenance

déconcerter to put out, disconcert, foil

décor *m.* decoration; setting, stage setting

décoration *f.* decoration, award

décorer to adorn, decorate

décourager to discourage

découvrir to uncover, discover

décrire to describe

déçu, **-e** disappointed

défaire to undo

défait, **-e** undone, disheveled

défaut *m.* fault, moral defect

défavorable unfavorable

défendre (**de**) to forbid; defend

définiti-f, **-ve** definitive, final, positive

déformer to deform

dégager to disengage, clear; redeem, withdraw, relieve

dégradant, **-e** degrading

déguiser to disguise

dehors outside, out of

déjà already; indeed

délai *m.* delay, interval

délicat, **-e** delicate; scrupulous

délicatement delicately

délicieu-x, **-se** delicious

délinquant *m.* offender

délivrer to deliver

demain tomorrow

demande *f.* question, inquiry, request; claim, proposal

demander to ask (for); **se —,** wonder

démarche *f.* action, measure, gesture, steps, proposal; **tenter une — auprès de** to undertake to approach

démasquer to unmask

demeure *f.* dwelling place

demi, **-e** half; **à —,** halfway

demi-heure *f.* half hour

demi-voix: à —, in a low tone

démocratique democratic

démoraliser to demoralize

dénoncer to denounce; **se —,** confess

dénouement *m.* outcome, end, result

dent *f.* tooth

départ *m.* departure

dépasser to get ahead of, pass, go beyond; **se —**, get ahead of one another

dépêcher (se) to hurry

déplaire to displease

déplaisir *m.* displeasure

déposer to deposit, deliver, lay *or* set down

dépôt *m.* deposit, depositing

dépouiller to take off; strip, rob

dépression *f.* depression

depuis since, for, during; **— longtemps** for a long time (back); **— que** since

député *m.* deputy, congressman

déranger to disturb, displace, disarrange, upset

derni-er, –ère last

dérober to steal

derrière *m.* hind part, rear

derrière *prep.* behind

dès from, since; **— lors** from that time on

dès que (= **aussitôt que**) as soon as, when

désabusé, –e undeceived

désagréable disagreeable

descendre to go down

désespoir *m.* despair

déshonorant, –e dishonoring

déshonorer to dishonor

désigner to designate, point out, point to

désintéressé, –e unconcerned, unselfish

désir *m.* desire

désirer to desire

désobéir (à) to disobey

désolé, –e desolated, grieved, distressed

désormais henceforth

destin *m.* fate, destiny

destiner to destine, design, be meant for, intend for the money

détacher to unfasten, untie, detach; **se —**, stand out conspicuously; **se — de** separate oneself from, leave

détail *m.* detail; **dans le —**, into details

détestable detestable

détruire to destroy, ruin

dette *f.* debt

deux two

deuxième second

devant in front of, before

devenir to become

deviner to guess

devoir to owe, must, ought, be obliged, be due

devoir *m.* duty, homework, exercises, task

dévouement *m.* devotion

dévoué, –e devoted

diable *m.* devil

dictée *f.* dictation

dicter to dictate

dieu *m.* God; **grands —x !** ye gods !

diffamer to defame, slander

différence *f.* difference

différent, –e different, various

difficile difficult

difficulté *f.* difficulty

digne worthy, dignified

dignement worthily, in a dignified manner

dignité *f.* dignity

diminuer to diminish, decrease

dîner to dine

dîner *m.* dinner

diplôme *m.* diploma

dire to say, tell; **dis (dites) donc** look here ! say ! **pour**

ainsi —, so to speak; **cela ne vous dit rien** that doesn't appeal to you; **vouloir** —, mean

direct, –e direct

directeur *m.* director, manager, principal

direction *f.* direction, management

diriger to direct, handle; **se** —, make (take) one's way

discipline *f.* discipline

discours *m.* speech

discr–et, –ète discreet

discrètement discreetly

discrétion *f.* discretion

discussion *f.* discussion, debate

discuter to discuss, have a discussion

disparaître to disappear

dispenser to exempt; grant

disperser to disperse, scatter; **se** —, break up (*of crowds*)

disposer to dispose, lay out; — **de** have at one's disposal; **se** —, get ready

disposition *f.* disposition, aptitude

dispute *f.* dispute, quarrel

disputer (se) to quarrel, contend for

dissimuler (= **cacher**) to hide, conceal

distant, –e distant

distendre to distend, stretch

distingué, –e distinguished

distinguer to distinguish

distraction *f.* diversion; inattention

distraire (= **amuser**) to entertain

distribuer to distribute

distribution *f.* distribution

divan *m.* divan, sofa

divers, –e various

divin, –e divine

division *f.* division

divorcer to divorce

dix ten

dixième tenth

dix-sept seventeenth

dizaine *f.* group of ten

docilité *f.* (quality of) being easily led

doigt *m.* finger

domestique *m. or f.* servant

dominos *m. pl.* dominoes

donc therefore, hence, then, why

donner to give; **se** — **des airs** put on airs; **se** — **la peine** take the trouble

dont of which, whose

dorer to gild, make golden; *see* **ceinture**

dormir to sleep

dos *m.* back

doucement gently, quietly, softly

douceur *f.* gentleness, sweetness

douloureu–x, –se painful, sad

doute *m.* doubt; **mettre en** —, to question

douter to doubt; **se** — (**de**) suspect

douteu–x, –se doubtful, questionable

doux, douce sweet, gentle, mild, soft, pleasant; *see* **œil**

douzaine *f.* dozen

douze twelve

drame *m.* drama, play

droit, –e right, straight, upright; **à** —**e** to the right; *see* **col**

droit *m.* right

drôle (de) queer, odd, funny;
faire une — de tête to have
an odd expression on one's
face
dû, due due
duper to fool, dupe
dur, –e hard, harsh
durement harshly
durer to last, endure

E

eau f. water; tomber à l'—, to
fall through, be done for
éblouir to dazzle
écarter to put (push) to one
side, remove; open, spread
out; s'—, step to one side;
stray
échange m. exchange
échanger to exchange
échec m. failure, defeat
écho m. echo
éclairer to enlighten, give light
to; — votre lanterne en-
lighten you; s'—, light up,
brighten up
éclat m. outburst, noise, clap;
avec —, with a sudden outburst
éclatant, –e bright, shining,
dazzling
éclater (de) to splinter, burst
(forth or out), blow up,
explode; be exposed
écolier m. schoolboy, pupil
économie f. economy
écouler (s') to run out, flow
out, elapse
écouter to listen (to)
écraser to crush, run over
écrier (s') to exclaim
écrire to write

écriture f. writing
éducation f. education
effacer to scratch out, strike
out, erase; s'—, become
obliterated; stand aside
effarer to frighten, scare, be-
wilder, dismay; s'—, be
frightened, be startled
effet m. effect; en —, indeed,
sure enough, in fact
efficace effective, efficient
efforcer: s'— (de) to do one's
best
effort m. effort
effrayer to frighten
effroyable frightful, dreadful
égal, –e equal; same; cela
(ça) m'est —, I don't care
également (= aussi) equally,
also, likewise
égaler to equal
égard m. regard, consideration,
respect, score; à mon —,
toward me, on my account;
par — pour out of consideration for
élan m. outburst
élargir (s') to enlarge, widen
élastique m. elastic
électricité f. electricity
électrique electric
élégance f. elegance
élégant, –e elegant
élémentaire elementary
élève m. or f. pupil
élever to raise, elevate; bring up
élire to elect
élite f. choicest, very best;
d'—, select
éloigner to remove, send away,
dismiss; s'—, (= s'en aller)
go far away
embarquer (s') to embark

embarrasser to embarrass; block up, stop up

embrasser to kiss

émettre to give out, emit

éminent, –e outstanding

emmener to take (along *or* away), lead

émotion *f.* emotion, thrill, feeling

empêcher (de) to prevent, keep (from)

emploi *m.* use, employment, position, situation; **— du temps** program, schedule

employé, –e *m. & f.* employee, employed person

employer to use, employ

empoisonner to poison

emporter to carry away *or* off, drag off

empressé, –e eager to please

empresser (s') to be eager, hasten, make a great deal of bustle

ému, –e moved emotionally, with emotion

en *prep.* in, into, at, to; **en ami** as (like a) friend; *pron.* of him, of her, of it, of them, some, any, at it, with it, about it

encadrer to frame, encircle

enchanté, –e delighted

enchanter to enchant, bewitch, charm, delight

encore still, yet, again, once more; **— une fois** once again; **pas —**, not yet

encouragement *m.* encouragement

encre *f.* ink

endormir to put (lull) to sleep; deceive; **s'—**, go to sleep

endroit *m.* (= **lieu**) place

énergie *f.* energy

énergique energetic

enfant *m. or f.* child

enfantin, –e childish, for children

enfermer to inclose, shut in, confine, coop up, lock up

enfin finally, after all

enfuir (s') to flee, take flight

engager to pledge, engage, start to put money on a race; **s'—**, enlist; evolve

enlever to carry off, take away

ennemi *m.* enemy

ennui [ãnɥi] *m.* wearisomeness, tediousness, boredom; *pl.* annoyances, troubles

ennuyer (s') to be bored, be annoyed

énorme enormous, tremendous

enquête *f.* investigation

enrichir (s') to enrich oneself *or* itself

enseignement *m.* teaching

enseigner (à) to teach

ensemble together

ensuite then, afterwards

entendre to hear; understand, know; intend, expect; **laisser —**, intimate, give to understand; **— parler (de)** hear (of); **— dire** hear say *or* tell, understand; **entendu** agreed, understood; **bien entendu** of course; **c'est entendu** all right

enthousiaste enthusiastic

enti–er, –ère entire, whole

entièrement (= **tout à fait**) wholly, entirely

entraîner to draw (along),

lead away, carry along; cause, bring with it, entail

entre between; — **nos mains** in our hands

entrée f. entrance, entry

entreprise f. enterprise

entrer (dans) to enter; bring in; **faire —,** show in, bring in

entretenir to support, keep up; converse with, talk to

entrevoir to get a glimpse of

enveloppe f. envelope

envers toward

envie f. (= désir) desire, wish; **avoir — de** to crave to, want to, feel like

environ about, around, thereabouts

environner to surround, beset

envoi m. sending, expedition, forwarding, shipment

envoyer to send

épais, -se thick

épanouir (s') to bloom

épaule f. shoulder

épée f. sword

époque f. epoch, period

épouser (= se marier avec) to marry

épouvanter to strike with terror, terrify, appall

épreuve f. trial, test, proof

éprouver to try, experiment, prove; experience, feel

erreur f. error, mistake

escalier m. staircase

espèce f. species, kind, sort

espéranto m. Esperanto (language)

espérer to hope (for)

espoir m. hope

esprit m. mind, wit, spirit; **venir à l'—,** to come to mind

essayer (de) to try

essuyer to wipe (away)

est [ɛst] m. east

estime f. esteem

estimer to estimate, value

établir to establish

établissement m. establishment

étage m. floor (of a building)

étaler to spread out, display

état m. state, condition, plight, position; **en — de** in a position to

été m. summer

éteindre to extinguish

étoffe f. material, fabric, goods, stuff, cloth

étonnement m. astonishment

étonner to astonish, amaze, astound, startle

étrange strange

être to be; — **à** belong to; **raison d'—,** reason for existence; **cela m'est égal** I don't care; **c'est-à-dire** that is to say; **ça y est !** that's it, there you have it, that's done now; **en — là** to have come to that; **soit !** so be it ! see **peine, retour, trop,** etc.

être m. being

étude f. study; study hall; **faire de mauvaises —s** to be a poor student

étudier to study

évanouir (s') to faint

événement m. event, occurrence

évidemment evidently, obviously

évidence f. evidence

évident, -e evident, obvious

éviter to avoid

exact, –e exact, true

exactement exactly

exagérer to exaggerate; be excessive

examen *m.* examination

examiner to examine

exaspérer to exasperate, anger, irritate

excellent, –e excellent, capital

exceptionnel, –le exceptional

excessi–f, –ve excessive

exciter to urge, impel, spur on, incite, excite; s'—, get excited

excuse *f.* excuse, apology

excuser to excuse; s'—, apologize, make excuses

exécuter to execute, carry out, perform

exécution *f.* carrying out, execution; punishment

exemple *m.* example; par —! well, I declare! par —, for example

exercer to exercise, train, practise

exercice *m.* exercise

exhaler to exhale, breathe out, give off (*an odor*); s'—, be given off

exigence *f.* demand, requirement, unreasonable demand

exiger to require, demand

existence *f.* existence

exister to exist

exorbitant, –e exorbitant

expérience *f.* experience, experiment, trial

expliquer to explain

exploit *m.* feat

exploiter to cultivate, work out, put to work, make the most of

explosion *f.* explosion, outburst

exposer to present, explain, expose, lay bare

exposition *f.* exhibition, exposure

exprimer to express

exquis, –e exquisite

extraordinaire unusual; par —, in an unusual way

extrême extreme

extrêmement extremely

F

façade *f.* façade, front

face *f.* face, surface; en — (de) across (from), opposite; regarder en —, to look straight in the face

fâcher to anger; être fâché (de) be sorry (for); être fâché (contre) be angry (with); se —, get angry, fall out

fâcheu–x, –se annoying

facile easy

façon *f.* (= manière) fashion, make, way, manner; de — à in such a way as to; d'une —, in a way

faible weak

faiblement weakly

faiblesse *f.* weakness

faillir to err, transgress; fail; j'ai failli croire I almost believed

faire to do, make, cause, organize, carry on; act the part of, affect (*dignity*); play (*a trick*); take (*step*); give (*salute*); have, allow; ne — pas mal not look bad; — — have made; — marcher put to work; se —, be done, come along, take place; improve; earn; **bien fait** good looking; *see* **attention, crédit, entrer, étude, mine, pitié, tour, visage,** *etc.*

fait *m.* fact, point; deed, act; **au —!** indeed! come to the point! **en —,** in fact; **sur le —,** in the act; **en — de** (in the) matter of, as concerns; **venir au —,** to come to the point

falloir to be necessary; **il lui faut** he needs; **comme il faut** proper

fameu-x, -se famous, well known; very good

familiarité *f.* familiarity

famili-er, -ère familiar

famille *f.* family

fantaisie *f.* fancy, imagination; *see* **bibliothèque**

fatal, -e fatal

fatalement fatally, inevitably

fatigant, -e tiring; tiresome

fatigue *f.* fatigue, tiredness

fatigué, -e tired, fatigued

fatiguer to tire out, fatigue

faute *f.* fault, mistake, transgression; **— de** for lack of

fauteuil *m.* armchair

faux, fausse false, would-be

faveur *f.* favor

favorable favorable

favoriser to show favor to

fédération *f.* federation, union

feindre to pretend

féminin, -e feminine

femme *f.* woman; wife

fenêtre *f.* window

fer *m.* iron

fermer to close; **— à clef** lock

fermeture *f.* fastening, closing

ferveur *f.* fervor

feu *m.* fire; **avec —,** heatedly

feuille *f.* leaf, sheet (of paper); **— publique** newspaper

feuilleter to turn the leaves of, skim, thumb

fiancé *m.* engaged man

fiancée *f.* engaged girl

fier [fjɛːr], **fière** proud

fiévreu-x, -se feverish, agitated

figure *f.* (= **visage**) face

figurer (se) (= **imaginer**) to picture to oneself, imagine

fil *m.* thread, band; wire

fille *f.* girl, maiden; daughter; **jeune —,** girl

fils [fis] *m.* son

fin, -e fine, slender, thin; sly, keen

fin *f.* end

financi-er, -ère financial

finesse *f.* delicacy; cunning, shrewdness, keenness, distinctness

fini, -e finished

finir (de) to finish, end; **— par** finally do

fixe *m.* fixed sum, fixed salary

fixé, -e: être —, to know definitely, have no further doubts

fixement steadfastly, intently, earnestly

fixer to fix, fasten

flacon *m.* bottle

flamme *f.* flame; love, passion

flatter to flatter; **se — de** fondly hope, pride oneself on

flatterie *f.* flattery

flatteu-r, -se flattering; *m.* flatterer

fleur *f.* flower

fleuve *m.* river

flot *m.* wave, billow, surge; **mettre à —**, to set afloat

fluide *m.* fluid

foi *f.* faith; **ma —!** upon my word! you bet! **de bonne —**, in good faith

foire *f.* fair

fois *f.* time; **à la —**, at the same time; **une —**, once; **encore une —**, once more, once again

folie *f.* folly, madness, foolish thing

fonction *f.* duty, office

fonctionnaire *m.* functionary, official

fond *m.* bottom; back, background; **à —**, thoroughly; **au —**, at heart; after all; in the background, at the back; **dans le —**, way down

fonder to found, base

fondre to melt

force *f.* force, strength

forcé, –e forced, obliged

forcer to force, break open

forêt *f.* forest

formalité *f.* formality

forme *f.* form

former to form, make, shape, train

formidable huge, wonderful, unusual, extraordinary

formuler to express

fort, –e strong; too much; **assez —**, pretty strong

fort *adv.* strongly, extremely, very

fortement vigorously, hard

fortune *f.* fortune

fou, folle crazy; *m.* fool, crazy person

fouiller (= **chercher**) to dig, excavate, fumble

foule *f.* crowd

fournir to furnish, offer, supply

fourré, –e fur lined

fourrure *f.* fur

fragile fragile

frais, fraîche fresh, cool, sweet, ruddy

frais *m. pl.* expense(s), charges

franc *m.* franc

français, –e French

Français *m.* Frenchman

français *m.* French (language)

France *f.* France

franchement frankly

franchir to cross, traverse, pass, overstep

franchise *f.* frankness

frappé, –e struck, stricken

frapper to strike, knock

frénétiquement frantically

fréquenter to visit frequently, associate with

frère *m.* brother

frissonner to shiver, shudder

froid, –e cold(ly)

froidement coldly

froideur *f.* coldness

front *m.* forehead

frotter to rub

fuir to flee

fumer to smoke

fureur *f.* furor

furieu–x, –se furious

futur *m.* future tense; **au —**, in the future

G

gagner to gain, earn, acquire, win

gai, –e gay

gaillard, –e jovial

gain *m.* gain

galamment gallantly

galop *m.* gallop; au —, at a gallop

gant *m.* glove

garantir to guarantee

garçon *m.* boy, unmarried man; — de café waiter; — coiffeur assistant barber

garde *f.* care; prendre —, to take care, be careful, look out

garder to keep

gâter to spoil

gauche left; à —, to the left; porte de —, left door

gaz *m.* gas

gendarme *m.* (country) policeman

gêné, –e ill at ease

gêner to hinder, impede, cramp, bother; se —, be ill at ease, be embarrassed; put oneself out, trouble oneself

général, –e general; *m.* general

génération *f.* generation

généreu-x, –se generous

générosité *f.* generosity

genre *m.* gender, kind, type

gens *m. pl.* people

gentil, –le nice

gentilhomme *m.* gentleman

géographie *f.* geography; carte de —, map

geste *m.* gesture, action

glacé, –e icy, frigidly

glacer to freeze

glacial, –e icy cold

gladiateur *m.* gladiator

glisser to slip, slide, glide

globe *m.* globe

gorge *f.* throat; à la —, by the throat

goût (de) *m.* taste (for), liking (for)

goûter (à) to taste, appreciate

gouvernement *m.* government

gouverner to govern, rule

grâce *f.* grace; thanks; favor; faire une —, to do a favor; en —, as a favor

gracieu-x, –se graceful, gracious

grammaire *f.* grammar

grand, –e great, high, tall, big, large, lofty; — monde high society; *see* serment

grandiose awe inspiring, imposing

gratitude *f.* thankfulness, gratitude

gratuit, –e free of cost

grave heavy, serious, sedate, sober, grave

gravement gravely

graver to cut, engrave

gravité *f.* gravity, seriousness

gré *m.* will, pleasure; à son —, to one's liking; savoir —, to be grateful

gris, –e gray

gros, –se large, fat; heavy; big, important

groupe *m.* group

guère scarcely, hardly; ne ... —, hardly at all

guérir to heal, cure

guerre *f.* war

guetter to watch (for)

guider to guide

H

ʽ = aspirate h

ha! ah!

habile clever, talented, able

habillé, –e dressed

habiller (s') to dress, get dressed

habit *m.* clothes, wearing apparel; **en** —, in evening clothes

habiter (= **demeurer**) to inhabit, dwell in, live

habitude *f.* habit, custom; — **de** practice *or* experience with; **avoir l'**— (**de**) to be in the habit (of); **d'**—, usual(ly); **comme d'**—, as always

habituel, –le habitual, usual

habituer to accustom; **s'**— (**à**) become used *or* accustomed (to), adapt oneself (to)

'hagard, –e ghastly, haggard

'haine *f.* hate

'haïr to hate

haleine *f.* breath

hallucination *f.* hallucination

'halte là ! stop there !

'hardi, –e bold, fearless, daring

'hardiment boldly

'hasard *m.* chance; **par** —, by chance, by accident

'hausser to raise, shrug

'haut, –e high, lofty, tall; **d'un pied de** —, one foot high; *see* **voix**

'haut *adv.* loudly, high up

'haut *m.* top

'hé ! hey !

'hein ! eh ? huh ?

hélas ! [elɑ:s] alas

hésitation *f.* hesitation

hésiter (à) to hesitate

heure *f.* hour, o'clock, time; **à la bonne** —**!** fine ! well done ! **à toute** —, at any moment (time); **tout à l'**—,

just now; **à tout à l'**—, I'll see you later

heureusement fortunately

heureu–x, –se happy, fortunate

'hideu–x, –se hideous, very ugly, horrible

hier *m.* yesterday

histoire *f.* history, story; fuss, trick, matter, affair; **c'est toute une** —, it's a long story

'ho ! oh !

hommages *m. pl.* respects

homme *m.* man

honnête upright, proper, honorable, honest

honnêtement honestly, decently, with propriety

honnêteté *f.* honesty

honneur *m.* honor

honorable honorable

honorer to honor, do honor to

'honte *f.* shame, disgrace; **avoir** —, to be ashamed

'honteu–x, –se shameful

horreur *f.* horror

horrible horrible

horriblement horribly

'hors (de) out of, without, outside

hôtel *m.* hotel; town house

hôtesse *f.* hostess

'huit eight

humain, –e human

humble humble, humbly, modest, poor

humeur *f.* humor, temper; **de mauvaise** —, in a bad humor

humoriste *m.* humorist

'hurlant, –e yelling

'hurler to howl, yell

hypocrisie *f.* hypocrisy

hypocrite *m.* hypocrite

I

ici here

idée *f.* (= pensée) idea, conception, notion, thought

idiot, –e idiotic, foolish; *m.* idiot

ignorer not to know, be ignorant *or* unaware of

illégal, –e illegal

illégalement illegally

illuminé, –e almost aflame, lighted up; enraptured

illuminer to illuminate, light up

illustrer to illustrate

image *f.* picture

imagination *f.* imagination

imaginer to imagine; s'—, picture to oneself, imagine

imbécile imbecile

imiter to imitate

immédiat, –e immediate

immédiatement immediately

immense immense, very great

immobile motionless

impatience *f.* impatience

impatienter to cause someone to lose patience; s'—, grow impatient

impertinent, –e impertinent

implorer to cry out, beseech

importance *f.* importance

importer to be of importance, matter; n'importe quoi anything (at all)

imposer to impose; inspire respect; en — à impress

impossible (de) impossible

imposteur *m.* impostor

imposture *f.* imposture

impression *f.* impression, stamp

improvisation *f.* extemporary speech

imprudence *f.* lack of caution

incapable incapable

incertain, –e uncertain

incertitude *f.* lack of certainty

incident *m.* incident, happening

incliner (s') to bow, bend

inconnu, –e unknown, strange; *m. & f.* stranger

incroyable unbelievable

indemnité *f.* indemnity, compensation

index *m.* index; forefinger

indifférent, –e indifferent

indignation *f.* indignation

indigne unworthy, outrageous

indigné, –e indignant

indigner to arouse the ire of, exasperate

indiquer to point out, indicate

indiscr–et, –ète indiscreet

indispensable indispensable

individuel, –le individual

indulgence *f.* indulgence

inemployé, –e unemployed, out of work

inévitable unavoidable

inexplicable inexplainable

infamie *f.* infamy

infini, –e infinite; à l'—, indefinitely

infliger to inflict

influence *f.* influence

influer to influence

information *f.* (= renseignements) information

ingénieur *m.* engineer

ingrat, –e thankless, ungrateful; *m.* ingrate

inhabitable uninhabitable

initiative *f.* move, initiative

injure *f.* wrong, injury, insult

injust, –e unjust

injustice *f.* injustice

innocence *f.* innocence

innocent, –e innocent

inoffensi–f, –ve inoffensive, harmless

inopportun, –e unseasonable, ill-timed, inopportune

inouï, –e rare, unique, un-heard-of

inqui–et, –ète anxious, uneasy, worried

inquiéter to trouble, worry; **s'— (de)** worry (about)

inquiétude *f.* worry, uneasiness

inscription *f.* saying, writings; matriculation

inscrire to put down, enter

insecte *m.* insect

insinuant, –e insinuating

insinuer to insinuate, hint

insister (sur) to insist (on), urge, stress

inspecteur *m.* inspector, super-intendent; **— d'académie** school supervisor

inspirer to inspire

installation *f.* installation

installer to install; **s'—,** settle oneself

instant *m.* instant, moment; **à l'—,** at once

instituer to institute, establish

institut–eur, –rice *m. & f.* school teacher

instrument *m.* instrument, tool

insulter to insult

intellectuel, –le intellectual; *m. pl.* intelligentsia

intelligence *f.* intelligence

intelligible distinct, audible

intention *f.* purpose; **avoir l'— de** to intend to

interdire (de) (= **défendre**) to forbid, suspend

intéressant, –e interesting

intéressé, –e interested; mer-cenary

intéresser to interest; **s'— (à)** take an interest (in)

intérêt *m.* interest, advantage, share

intérieur *m.* interior, home, in-side; **à l'—,** within, inside

interne *m.* boarder

interroger (= **questionner**) to question

interrompre to interrupt

intuition *f.* intuition

inutile useless

inventer to invent, make up

invisible invisible

invitation *f.* invitation

inviter (à) to invite

ironique ironical

irréfutable unanswerable

irrégularité *f.* irregularity

irréparable irreparable

irrité, –e angry

italien, –ne Italian

J

jadis [ʒadis] (= **autrefois**) for-merly, once

jamais ever, never; **ne . . . —,** never

janvier *m.* January

jardin *m.* garden

jaune yellow

jeter to throw; **se —,** rush

jeu *m.* game, expression, style of acting, fun, joke, play, business

jeudi *m.* Thursday

jeune young

jeunesse *f.* youth

joie *f.* joy

joindre to join

joli, –e pretty

joliment nicely; **vous vous êtes ⸺ trompé** you are very much mistaken

joue *f.* cheek

jouer to play; *see* comédie

joueur *m.* player; **beau ⸺,** a good sport

jouir (de) to enjoy

jour *m.* day, daylight, daytime; **par ⸺,** per day; **de nos ⸺s** in our times; **un ⸺,** some day; **quinze ⸺s** two weeks

journal *m.* newspaper, journal; diary

journaliste *m.* newspaper man

journée *f.* day, day long

joyeu–x, –se joyful, joyous, joyfully

judiciaire judiciary, on the part of the court

juge *m.* judge

juger to judge, believe

juillet *m.* July

jurer to swear

jusqu'à even, as much as, until, up till, as far as; **jusque-là** up to that time, that far; **jusqu'où?** to what point?

juste exact, right

justement precisely, exactly

justice *f.* justice

justifier to justify

K

kilomètre *m.* kilometer

L

là *adv.* there

là-bas down there

laborieu–x, –se industrious

lâcher to let go, loosen, unloose, let fall

là-dessus thereon, thereupon, about it, upon it

laid, –e homely

laine *f.* wool

laisser to leave, let, permit, allow; **se ⸺,** allow oneself to be; *see* entendre, tomber

lampe *f.* lamp

lancer (= jeter) to hurl, throw

langage *m.* style of talking, speech

lanterne *f.* lantern; *see* éclairer

large wide, big; **de long en ⸺,** back and forth; **un ⸺ sourire** a broad smile

larme *f.* tear

leçon *f.* lesson

lecteur *m.* reader

légalement legally

lég–er, –ère light, not serious; **à la légère** without thinking

légèrement lightly, slightly

légion *f.* legion

légitime legitimate

lendemain *m.* next day

lentement slowly

lenteur *f.* slowness

lequel, laquelle which, which one, who, whom, the one which

lettre *f.* letter

lever to raise, lift up; **se ⸺,** get up, rise

lèvre *f.* lip

liberté *f.* liberty; **de ⸺,** free

libre free, free-lance

lier to tie, link

lieu *m.* place; **avoir ⸺,** to take place; **au ⸺ de** instead of

lieutenant *m.* lieutenant

ligament *m.* ligament

ligne *f.* line

limiter to limit

lire to read

littéraire literary

livre *m.* book

logement *m.* lodging

logique logic, logical

loi *f.* law

loin far; **de** —, from afar, in the distance

loisir *m.* leisure

long, –ue long; **de — en large** back and forth; **le — de** along

longtemps a long while, long

longuement at length

lors (de) at the time of

lorsque when

loup *m.* wolf; **à pas de** —, stealthily

lourd, –e heavy; expensive

loyal, –e honest, upright; loyal

lucrati–f, –ve lucrative, profitable

lui-même himself

luire to shine

luisant, –e shining, glowing, shiny

lunettes *f. pl.* glasses, spectacles

lutte *f.* struggle

luxe *m.* luxury

luxueu–x, –se luxurious

lyrique with enthusiasm

M

machinalement mechanically

machine *f.* machine, mechanism

madame Mrs., my lady, madam

mademoiselle *f.* Miss

magasin *m.* store

magnifique magnificent, splendid

mai *m.* May

maigre thin

main *f.* hand; **à la** —, in the hand, by hand; **à deux** —s in both hands, with both hands; **à pleines** —s hands full; barehanded; **avoir sous la** —, to have at hand

maintenant now; **plus** —, not any more

maintenir to maintain, keep up, abide by, continue

maire *m.* mayor

mais but; — **oui** yes indeed; — **non** no indeed

maison *f.* house

maître *m.* master, teacher; — **d'hôtel** butler, head waiter

mal *adv.* badly, ill, amiss, wrong; **pas** —, quite a bit, a good deal, a fair amount

mal *m.* harm, evil, wrong; sickness

malade sick

maladie *f.* sickness

maladroit, –e clumsy, awkward

mâle *m.* male

malgré in spite of

malheur *m.* misfortune, unhappiness, mishap, ill luck; — ! horrors !

malheureusement unfortunately

malheureu–x, –se unhappy, unfortunate; *m.* unfortunate (person), wretch

malhonnête dishonest, rude, impolite

malin, maligne foxy; *m.* shrewd person, fox

manger to eat

manière *f.* (= façon) way, style, manner

manœuvre *f.* trick, type of work; maneuver, exercise

manquer (à) to fail (in); — (de) miss, lack; il lui manque he lacks

manteau *m.* coat

marbre *m.* marble

marchand *m.* merchant, dealer

marche *f.* walk; movement; remettre en — à la main to start up again by hand (i.e. by cranking); se remettre en —, start out again

marché *m.* market; dealing, deals; bon —, cheap

marcher to walk (about), go along; faire —, put to work

mari *m.* husband

mariage *m.* marriage

marier to marry; se — (avec) get married (to)

Maroc *m.* Morocco

marquer to stamp, mark; tell

matériel, –le materialistic, sensual

matériel *m.* stock, plant, equipment

mathématiques *f. pl.* mathematics

matin *m.* morning

mauvais, –e bad, evil; *see* pas

maxime *f.* maxim

méchant, –e mean, wicked

médecin *m.* doctor

médecine *f.* medicine

médical, –e medical

méfier: se — (de) to beware (of), distrust, be on one's guard (against)

meilleur, –e better; le —, best

mélodramatique melodramatic

membre *m.* member; body

même *adj.* same, like, very

même *adv.* even, very, in fact; — pas not even that; ici —, right here

menaçant, –e threatening

menace *f.* threat

menacer to threaten

mener to take, lead

mensonge *m.* falsehood, lie

mental, –e mental

mentir to lie

mépris *m.* contempt, scorn

mer *f.* sea

merci *m.* thanks

merci *f.* mercy

mercredi *m.* Wednesday

mère *f.* mother

mérite *m.* merit

mériter to merit, deserve

merveilleu-x, –se marvelous

mesure *f.* measure; à — que as

méthode *f.* method

métier *m.* trade, profession

mettre to put, place, put on; reduce; — à la porte put out, discharge; se — à begin; se — à la fenêtre go to the window; *see* doute, point, *etc.*

meuble *m.* piece of furniture

midi *m.* noon

mieux better; de mon —, as best I can (could); de — en —, better and better; faire de son —, to do one's best

milieu *m.* middle, center; environment, society; au — de in the middle (midst) of; au beau —, right in the middle

militaire military

mille *m.* (a) thousand

million *m.* million

mine *f.* bearing, appearance, countenance; faire — grise to make a sorry face; faire — de pretend

ministère *m.* government department, ministry

ministre *m.* minister, cabinet officer

minuit *m.* midnight

minute *f.* minute

mise en scène *f.* stage setting

misérable poor, worn, old, wretched; *m.* mere wretch

mode *f.* style, fashion

modèle *m.* model

moderne modern

modernisme *m.* modernism

modeste modest(ly), humble

mœurs *f. pl.* habits, customs, manners, conduct

moi-même myself

moindre lesser, smaller; le —, least

moins less, fewer; au —, at least; du —, at any rate; le — du monde in the slightest; le — possible as little as possible

mois *m.* month; par —, by month

moment *m.* moment

monde *m.* world; society, people; tout le —, everybody; grand —, high society

monsieur *m.* gentleman, sir

monstre *m.* monster

monstrueu-x, -se monstrous

montagne *f.* mountain

monter (dans) to go (come) up, mount, get (into)

montre *f.* watch

montrer to show, point out; se —, appear

moquer: se — (de) to make fun (of), laugh (at)

moral, -e moral

morale *f.* morality, morals

moralement morally

morceau *m.* piece

morne (= triste) sad, gloomy, dull, mournfully

mort, -e dead

mort *f.* death

mot *m.* word, message, saying

moteur *m.* motor

motif *m.* motive, cause, reason, grounds

mourir to die

moustache *f.* moustache

mouton *m.* sheep

mouvement *m.* movement

moyen, -ne average, medium

moyen *m.* means; middle

moyenne *f.* average; en —, on an average

muet, -te dumb

muni, -e (de) fortified, equipped (with)

municipal -e municipal; conseil —, city council

munir to provide, arm, equip

mur *m.* wall

murmure *m.* murmur

murmurer to murmur

musicien *m.* musician

musique *f.* music; faire de la —, to have some music; boîte à —, music box

mystérieu-x, -se mysterious

N

naissance *f.* birth

naître to be born

naïveté *f.* artlessness, simplicity

national, –e national

nature *f.* nature

naturel, –le natural; au —, true to life, in its natural state

naturellement naturally

ne not; ne ... que only; ne ... guère scarcely

nécessaire necessary

nécessité *f.* necessity

négati–f, –ve negative; *m.* negative, no

négliger to neglect

nerveu–x, –se nervous

net, –te clear-cut, clear, definite; net

net *adv.* clearly; couper —, to cut short

nettement cleanly, clearly, decidedly

neuf nine

neuf, neuve new

neveu *m.* nephew

nez *m.* nose; jeter au — de ..., to throw in ...'s face

ni ... ni (*when used after* ne) neither ... nor

nier to deny

noble noble

noblesse *f.* nobility, nobleness, dignity

noir, –e black

nom *m.* name; renown; noun

nombre *m.* number

nombreu–x, –se numerous

nommé, –e named, aforesaid

nommer to call, name

normal, –e normal

normalement normally

notaire *m.* notary public

note *f.* mark (*in school*), grade; bill, note

noter to note

notion *f.* notion, idea

nourrir to nourish, feed

nouveau, nouvelle new; de —, again

nouveau-né *m.* newborn (babe)

nouvelle *f.* news, piece of news; j'ai de ses —s I have heard from him (her), I have news of him (her)

nu, –e naked, nude

nuance *f.* shade, shade of meaning

nuit *f.* night

nul, –le no, not any

nullement not at all

numéro *m.* number; issue, newspaper

O

obéir (à) to obey

objection *f.* objection

obligation *f.* obligation

obliger to oblige, force; do a favor

oblique slanting

observer to observe

obtenir to obtain; obtain permission

occasion (de) *f.* opportunity, chance

occupé, –e busy

occuper to occupy; s'— (de) look after, take charge of, be busy with

odeur *f.* odor, smell

odieu–x, –se odious

œil *m.* (*pl.* yeux) eye; expression; entre les deux yeux straight in the eye; faire les yeux doux to look lovingly

œuvre *f.* work, labor, deed; **à l'—,** at work

offenser to offend; **s'— de** take offence at

officiel, –le official

officiellement officially

offrir (de) to offer, hold out, give; **s'—,** afford

oiseau *m.* bird; **d'—,** birdlike

on one, they, people, we, some-one

onzième eleventh

opinion *f.* opinion

opposer to oppose; **s'— à** be opposed to

or *conj.* now, but

or *m.* gold

oralement orally

ordinaire ordinary

ordonner (de) to order, command

ordre *m.* order; **mettre de l'— sur** straighten (tidy) up

oreille *f.* ear

orgueil *m.* pride

orphelin *m.* orphan

osciller to waver, fluctuate

oser to dare, be bold *or* daring

ôter to take out, take off *or* away, pull out

où where, when, in which

ou or

oublier (de) to forget

ouvert, –e open

ouverture *f.* opening

ouvrage *m.* work, piece of work

ouvrier *m.* workman

ouvrir to open; **s'—,** be opened, open

P

page *f.* page

paille *f.* straw; **homme de —,** figurehead

pain *m.* bread

paisiblement peacefully, calmly

paix *f.* peace

pâle pale

palmes académiques *f. pl.* Academic Palms (*decoration conferred by the French Government on teachers and writers for outstanding achievements*)

panier *m.* basket; **— à papier** wastebasket

pantalon *m.* trousers

pape *m.* Pope

papier *m.* paper

paquet *m.* package; **faire ses —s** to pack up one's belongings

par through, out of, from, by, in, into, per; **— la fenêtre** out the window

paradoxal, –e paradoxical

paraître to appear, show

parallèle parallel

parbleu ! to be sure !

parc *m.* park

parce que because

parcourir to run over, look over, travel over *or* through

par-dessus over

pardon ! I beg your pardon !

pardonner to pardon, let go, forgive; **un mal qui ne pardonne pas** a fatal disease

pareil, –le such

parent *m.* parent, relative

parer to adorn, deck out; ward off

parfait, –e perfect, thorough(ly), good, just the one, fine

parfaitement perfectly, quite, perfect, certainly, absolutely

parfois (= quelquefois) sometimes, now and then

parfum *m.* perfume

parler to speak

parleur *m.:* **beau —**, a good talker

parmi among

parole *f.* word, speech, utterance

part *f.* part, share, portion; **de — et d'autre** on both sides, on either side; **d'autre —**, moreover, on the other hand; **prendre — à** to take part in; **quelque —**, somewhere; **de la — de** on the part of, from; **de sa —**, of him, from him

partagé, -e torn

partager to share, divide; **se —**, divide

parti *m.* party; decision, course; **prendre un —**, to decide; **avoir du — pris (contre)** have it in for one, be prejudiced against

particuli–er, –ère special, private, peculiar, characteristic

particulièrement especially, particularly

partie *f.* part; game; **faire — de** to belong to

partir to leave, depart, start; **à — d'aujourd'hui** from to-day on; **en partant du même principe** by working (starting) from the same principle

pas *adv.* not; **non —**, not at all; *see* **mal**

pas *m.* step; **faire un —**, to take a step; **mauvais —**, hole; **de ce —**, directly, immediately

passage *m.* passage; **être de —**, to be passing through

passé *m.* past; **par le —**, in the past

passer (à) to pass, go by, go; spend; **se —**, take place, happen; **se — de** do without; **— à la porte** get out; **y —**, go through it, submit to it

passion *f.* love, passion

pathétique pathetic

patience *f.* patience

patrie *f.* fatherland, home country

patron *m.* boss, employer

patte *f.* paw; **à quatre —s** on all fours

pauvre poor, unfortunate

pauvreté *f.* poverty

pavé *m.* paving stone; **— de bois** wood block paving

payer to pay (for); **se —**, be paid

pays [pei] *m.* country, territory

peau *f.* skin; leather

Peau-Rouge *m.* Indian

pédant, –e pedantic, bookish

peindre to paint

peine *f.* penalty; pain, torment, sorrow, trouble, grief, anxiety, difficulty; **à —**, scarcely; **ce n'est pas la —**, don't bother, it isn't worth while; **faire de la —**, to grieve, hurt; **se donner la —**, take the trouble

peinture *f.* painting

pencher to lean, stoop; **se —,**

lean over; **se —** **à la fenêtre** lean out of the window

pendant during; **— que** while

pendre to hang

pénible painful, troublesome

pensée *f.* thought

penser to think; **— bien** realize; **— à** think of; **— de** have an opinion about; **j'y pense** by the way

pensi-f, -ve pensive, thoughtful

pension *f.* boarding school, boarding house; pension

percer to pierce, break through, cut through

perdre to lose; ruin; **à mes moments perdus** in my idle moments

père *m.* father

période *f.* period of time, stage

perle *f.* pearl, prize, finest

permettre (de) to permit, allow; **se —**, indulge in

permission *f.* permission

perpétuel, -le perpetual

perplexe perplexed; perplexing

personnage *m.* character (*in a story or play*), person

personne *f.* person; **parlant à sa —,** speaking to him personally; **ne ... —,** no one

personnel, -le personal; *m.* office force

perspicacité *f.* shrewdness

persuader to persuade

pervers, -e perverse

peser to weigh

petit, -e small, little; **— à —,** little by little

peu (de) little, not very, few; **à — près** almost; **— à —,** little by little; **un —,** a little bit, slightly

peuple *m.* people, race, nation; common people

peur *f.* fear; **avoir — de** to be afraid of; **faire —,** frighten

peut-être perhaps

philosophe *m.* philosopher

photographie *f.* photograph

phrase *f.* sentence, phrase

physique physical; *m.* physical appearance

physiquement physically

piano *m.* piano

pièce *f.* piece, part; play; room; legal papers

pied *m.* foot; **à —,** on foot

pincer to pinch, pluck; **se faire —,** get caught

pire worse; **le —,** worst

pis worse; **tant —,** what a pity, so much the worse

pitié *f.* pity; **avoir — de** to pity; **faire —,** inspire pity

placard *m.* bill, placard, sign

place *f.* (= **lieu**) place, spot, situation; room; seat; square

placer to place, invest

plafond *m.* ceiling

plaindre: se — (de) to complain (of)

plaire to please

plaisanter to joke

plaisanterie *f.* joke

plaisir *m.* pleasure; **faire — à** to give pleasure to, please

plan *m.* plane; plan, scheme, project; **au premier —,** downstage; **au second —,** middle center stage

planté, -e stuck

planter to plant, settle

plat, -e flat, level; contemptible, paltry, shabby; *m.* flat side; dish

plateau *m.* tray; table-land

plein, -e full; **en —**, right in the middle of; *see* **voix**

pleurer to weep

pli *m.* fold, wrinkle; envelope

plomb *m.* lead

plume *f.* pen

plupart *f.* most, greatest part

plus *adv.* more; plus; **ne ... —**, no more, no longer; **de — en —**, more and more; **en — de** besides, added to; **tout au —**, at the most, at best; **de —**, moreover, more

plusieurs several

plutôt rather

poche *f.* pocket

poésie *f.* poetry

poète *m.* poet

poids *m.* weight, load, burden

point *adv.*: **ne ... —**, not at all

point *m.* point; **mettre les choses à —**, to get things straight

pointe *f.* point, tip, head; touch; sting; pun

poitrine *f.* chest, breast

police *f.* police

polici-er, -ère police(like)

policier *m.* detective, police agent

politicien *m.* politician

politique political

politique *f.* politics; **faire de la —**, to be in politics

populaire popular

porte *f.* gate, door; **mettre à la —**, to put out, dismiss; **à la —!** get out! **sur la —**, in the doorway; **jeter à la —**, throw out

porté, -e: être — (à) to be inclined (to)

portée *f.* import, effect; **mettre à la — de** to put within the reach of

portefeuille *m.* portfolio, wallet

porte-plume *m.* penholder

porter to carry, take; wear; bear; strike (*a blow*); show (*interest*)

poser (= **placer**) to lay, set, put, place, ask (*a question*)

positivement positively

possibilité *f.* possibility

poste *m.* position, station, post

pot *m.* pitcher

pour for, in order to, with regard to; **— que** in order that

pour *m.*: **peser le — et le contre** to weigh the pros and cons

pourquoi why

poursuite *f.* pursuit; suit at law, prosecution

poursuivre to pursue, follow after; prosecute

pourtant (= **cependant**) however, yet, still

pousser to push, carry; utter; grow

pouvoir to be able, can, be capable of; **il se peut (pourrait)** it may (might) be

pouvoir *m.* power

pratique practical, useful

précaution *f.* precaution

précéder to precede

précieu-x, -se precious, valuable, expensive

précipiter (se) to rush ahead, make a rush

précisément precisely

précision *f.* precision, precise facts

préférable preferable

préférence *f.* preference

préférer to prefer

préhistorique prehistoric

prémédité, –e premeditated, thought out beforehand

premi–er, –ère first, leading; **le — venu** the first comer, the first one at hand

prendre (à) to take (from), take up, assume, receive, grasp; **s'y —,** go about it; *see* **congé, garde, parti,** *etc.*

préparer to prepare, arrange; **se — (à)** get ready (for)

près (de) near (to); **de —,** closely; **à peu —,** just about

présence *f.* presence

présent, –e present

présenter to present, offer, introduce

présidence *f.* position of presiding officer

président *m.* one who presides

presque almost

presse *f.* press, newspapers

pressé, –e rushed, in a hurry

presser to urge, be urgent, hurry

prestige *m.* prestige

prêt (à) ready (to)

prête-nom *m.* figurehead

prétentieu–x, –se pretentious, affected, conceited

prétention *f.* claim

prêter to lend; attribute

prétexte *m.* pretext

preuve *f.* proof, testimony, trial, test; **faire ses —s** to show what one is capable of

prévenir to warn, advise

prévoir to foresee

prier to pray, request, beg; **je vous prie** if you please; **je vous en prie** pray do

prière *f.* prayer

prime *f.* commission, premium

principe *m.* principle

prison *f.* prison

prisonni–er, –ère imprisoned; *m.* prisoner

privé, –e private, particular

priver to deprive

prix *m.* price; prize

probable probable

probablement probably

probité *f.* honesty, integrity

problème *m.* problem

procédé *m.* proceeding, process, behavior

procéder to proceed

prochain, –e next, nearest; coming

proclamer to proclaim

produire to produce

professeur *m.* professor

profession *f.* profession

professionnel, –le professional

profiter (de) to take advantage (of), make the most (of), profit (by)

profond, –e profound, deep; **au plus — de moi-même** deep within me

profondément profoundly, thoroughly, deeply

programme *m.* program; *pl.* courses of study

progrès *m.* progress; *pl.* progress (*in general*)

proie *f.* prey, spoil

projet *m.* project, scheme, plan

prolonger to prolong

promenade *f.* walk; **aller à la —,** to go walking

promener to take, lead about, conduct; **se —,** walk about, go for a walk

promesse *f.* promise
promettre (de) to promise
promptitude *f.* promptness, exactness
prononcer to pronounce, utter
proportion *f.* proportion
propos *m.* discourse, conversation, remark; **à — de** about
proposer (de) to propose, suggest
proposition *f.* proposition
propre own, very; clean
proprement properly speaking
propriétaire *m. or f.* proprietor, owner
prospectus *m.* handbill
prospérer to prosper
protégé *m.* protégé
protéger to protect
prouver to prove
proverbe *m.* proverb
province *f.* province
prudence *f.* prudence
publi-c, -que public; *see* feuille
public *m.* public
publicité *f.* publicity, advertising
puis then, next, afterwards
puisque since (*causal*)
puissance *f.* power
punir to punish
punition *f.* punishment
pupitre *m.* school desk
pur, -e pure
pureté *f.* purity

Q

qualité *f.* quality, virtue
quand when
quant à as for
quarante forty
quart *m.* quarter

quartier *m.* district, neighborhood
quatre four
quatre-vingtième eightieth
quatre-vingts eighty
quatrième fourth
que which, what, that, whom; than, how; **— de fois?** how many times? **ne ... —,** only
quel, -le what, which; **— que soit** whatever
quelque some, a few; *pl.* several
quelquefois (= **parfois**) sometimes
quelqu'un someone
question *f.* question, subject
qui who, which, what
quinze fifteen; **— jours** two weeks
quitter to quit, leave
quoi what; **il n'y a pas de — rire** there (it) is nothing to laugh about; **à — bon?** what's the use? **— que** whatever
quoique (= **bien que**) although
quotidien, -ne daily, of every day
quotidien *m.* daily paper

R

race *f.* race, family, stock; **de petite —,** insignificant
raconter to relate, recount, tell, narrate
radiateur *m.* radiator
rage *f.* madness, rage, fury; **j'ai la — au cœur** I rage inwardly
raide stiff, stubborn, harsh, stern

raison *f.* reason, sanity, sense; **avoir —**, to be right; **— d'être** reason for existence

raisonnement *m.* reasoning

rang *m.* row, rank, line, station; dignity, degree, standing; **se mettre en —**, to get in line

ranger to arrange, put in order

rapide swift, rapid, speedy

rappeler to call again; recall, call back, call attention; **— au bon souvenir de** remember one kindly to; **se —**, recall, recollect, remember

rapport *m.* revenue, income; act, statement, report; connection

rapporter to bring back, bring in, take back, take word back

rapprocher to draw near again, bring together, put near again; **se — de** draw near, approach

rare unusual, infrequent

raser to shave

rasseoir (se) to be seated again, seat oneself again

rassurant, -e reassuring

rassurer to reassure, tranquilize

rattraper to catch up to, recover, get back, make up

ravageur *m.* ravager

ravi, -e delighted

ravir to carry off, snatch away; enrapture, delight; **à —**, delightfully, admirably

réaction *f.* reaction

réalisation *f.* realization

réaliser to make come true, realize

réalité *f.* reality; **en —**, in reality

re-bonjour good morning again

récent, -e recent

recevoir to receive

récit *m.* recital, telling, account

réciter to recite

réclamer to claim, demand

recommencer to begin again

récompense *f.* reward, compensation

récompenser to reward, compensate

reconduire to take again, reconduct, lead back, show out; take home

reconnaissance *f.* recognition; review; gratitude

reconnaissant, -e grateful

reconnaître to recognize

recopier to recopy, copy

recours *m.* recourse, refuge

récréation *f.* recreation

recrue *f.* recruit

recruter to recruit

rectangle *m.* rectangle

rectangulaire rectangular

rectifier to set right, correct

reculer to draw back, recoil; **à reculons** backwards

redevenir to become again

redoubler to renew, redouble

redoutable dreaded

redouter to dread

réduction *f.* reduction

réduire to reduce, compel

réellement really

refaire to do again, remake

refermer to close again

réfléchir (= **penser, méditer**) to reflect, think over

réflecteur *m.* reflector

reflet *m.* reflection

réflexion f. thought

refus m. refusal

refuser to refuse

regagner to win back, earn again, regain; go back to

regard m. look, glance, gaze; **chercher des —s** to look around

regarder to look at *or* on, consider, behold; concern

régénérer to regenerate

régime m. diet; procedure, régime

régiment m. regiment

registre m. account book

règlement m. regulation, settlement; *pl.* rules

régler to settle, rule, regulate

regret m. regret; **avoir le —,** to regret

regrettable regrettable

regretter (de) to be sorry (to), regret

réguli–er, –ère regular

rejeter to throw again; throw back, reject, drive back

rejoindre to join, overtake, catch up

relation f. relation; friend, connection

relever to raise up again, raise back up; get up again; **se —,** rise, get up

remarquer to remark, notice, observe, note; **faire —,** point out

remercier to thank

remettre to put back, put up again; put on again; hand over, give (back); **se —,** recover; sit down again; **s'y —,** go back to it; **s'en — à (lui)** rely on (him), leave the matter entirely in (his) hands; *see* **marche**

remords m. compunction, (a feeling of) remorse

remplacer to replace, supersede, take the place of

remplir to fill, fulfill

rencontrer to meet

rendre to render, make; return, give back, restore; **— visite** pay a visit; **se — compte** realize; **se —,** surrender

renforcer to strengthen

renommée f. renown, fame, good name

renoncer (à) to renounce, give up

renouveler to renew

renseignement m. piece of information; *pl.* information

renseigner to inform, give information to

rente f. annual income; *see* **titre**

rentrer to go home; come back in, return; **faire —,** bring in

renverser to fall back, upset, overturn

renvoyer to send away *or* back, dismiss

répandre to scatter, spread around, emit

repartir to reply, answer; go away again

répéter to repeat

réplique f. reply

répondre (à) to answer, reply; **j'en réponds !** I can assure you of it !

réponse f. answer

repousser to push back, thrust aside, reject

reprendre to take back; resume, take up again, start over again

représenter to present (again); exhibit, produce; **se —**, present oneself; occur again; picture to oneself, imagine

reproche *m.* reproach; **faire des —s à** to reproach

reprocher to reproach

reproduire to reproduce; **se —**, happen again

république *f.* republic

réputation *f.* reputation

réserver to reserve, set aside

résidence *f.* residence

résolution *f.* resolution

résoudre (= **décider**) to resolve

respecter to respect

respectueu-x, –se respectful

respirer to breathe

responsabilité *f.* responsibility

reste *m.* remainder, rest, remnant, remains

resté, –e remaining, left

rester to remain, be left, be left remaining

résultat *m.* result

résulter to result, follow

rétablir to reëstablish

retard *m.* delay, tardiness

retenir to retain, hold on to, get again, have again, keep, withhold, detain, keep back, restrain; **se —**, check oneself, restrain oneself

retentir to resound, ring out, reëcho

retirer to withdraw (again), take back, draw back, pull back, take away, derive; **se —**, retire, withdraw

retomber to fall down again

retour *m.* return; back kick; **être de —**, to be back again

retourner to go back; **se —**, turn around

retrouver to find (again); **se —**, meet (again)

réussir (**à**) to succeed; carry out well

réussite *f.* success

rêve *m.* dream

révélation *f.* revelation

révéler to reveal

revendre to sell again

revenir to come back

rêver to dream

rêveu–r, –se dreamy; *m.* dreamer

révigoré, –e reinvigorated

revision *f.* revision

revoir to see again, look over

revoir *m.:* **au —**, good-by

riche *adj. & n. m.* rich

rideau *m.* curtain

ridicule ridiculous

rien nothing, anything; **ne ... —**, nothing; *see* **bon**

rigoureusement strictly, severely

rire (**de**) to laugh (at); **rira bien qui rira le dernier** he laughs best who laughs last

rire *m.* laughter, laugh

risquer to risk, take a chance; **— de** be apt to

robe *f.* dress

rôle *m.* part (*in a play*)

roman *m.* novel, story

rosette *f.* *decoration worn in the buttonhole*

rouge red

rougir to blush, get red

rouler to roll, roll along; **être roulé** be taken in

route *f.* route, road
ruban *m.* ribbon
rudement roughly, violently
rue *f.* street
ruine *f.* destruction, ruins
ruiner to ruin
ruisseau *m.* stream of water; gutter
rupture *f.* breaking, breach, break, breaking out
ruse *f.* cunning, craft, artifice, wile
rusé, –e foxy

S

sac *m.* bag, handbag, sack
sacré, –e sacred; confounded, darned old
sacrifice *m.* sacrifice
sain, –e healthy
saint, –e holy
saisir to seize, grasp
salaire *m.* salary
sale dirty, miserable
salle de classe *f.* classroom
salon *m.* drawing-room
saluer to salute, bow; hail, greet
salut *m.* greeting, salute
samedi *m.* Saturday
sanatorium *m.* sanitarium
sans without
santé *f.* health
sarcastique sarcastic
satire *f.* satire
sauf (= excepté) except
sauver to save; se —, escape, run along, be off
savoir to know, know how, understand; *see* gré
scandale *m.* scandal
scène *f.* scene, stage

science *f.* science, learning, knowledge
scientifique scientific
scolaire academic
scrupule *m.* scruple(s); scrupulousness
scrupuleusement scrupulously
séance *f.* sitting; period of time; — tenante at once
sec, sèche dry, gaunt, sharp
sèchement dryly, sharply, curtly
second, –e second; *see* plan
seconde *f.* second (*of time*)
seconder to second, help
secouer to shake
secours *m.* help; au —! help!
secr–et, –ète secret; *m.* secret
secrétaire *m. or f.* secretary
sécurité *f.* security
sein *m.* bosom; au — de in the lap of
seize sixteen
selon according to
semaine *f.* week
semblable (à) (= pareil) similar, like; *m.* fellow man
semblant *m.* appearance, seeming; faire — (de) to pretend
sembler to seem
semer to sew
sénateur *m.* senator
sens *m.* sense, judgment; meaning; direction, way
sensible sensitive, tender, painful; appreciable; appreciative
sentiment *m.* sentiment, feeling
sentimental, –e sentimental
sentir to feel, be conscious of; smell
séparer (se) to separate
sept seven

septième seventh

sérénade *f.* serenade

sérieusement seriously

sérieu-x, -se serious, well intentioned, reputable; **prendre au —,** to take seriously

serment *m.* oath; **faire un grand —,** to swear a solemn oath

serpent *m.* snake

serré, -e tight, clenched, clasped, pressed, condensed, crowded

serrer to shut tight, clasp; **— la main à** shake hands with

servante *f.* maidservant

service *m.* service; **rendre —,** to do a favor; **qu'y a-t-il pour votre —?** what can I do for you?

serviette *f.* brief case

servilité *f.* servility

servir to serve, be of service to; **se — de** use

seuil *m.* threshold

seul, -e alone, only, lonely

seulement only

sévère severe

sévèrement severely

siècle *m.* century

siège *m.* chair, seat; siege

signature *f.* signature

signe *m.* sign, nod; **faire —,** to beckon

signer to sign (one's name)

significati-f, -ve significant

signifier to mean, signify

silence *m.* silence

silhouette *f.* outline, shadow

simple simple, common, mere

simplement simply; **tout —,** merely, that's all

sincère sincere(ly)

sincèrement sincerely

sincérité *f.* sincerity

sinon otherwise; unless; **— que** except that

situation *f.* situation, position

situer to place; **être situé** be situated

six six

société *f.* society

soie *f.* silk

soigné, -e well groomed

soigner to care for, take care of

soir *m.* evening; **le —,** in the evening

soit! so be it!

soixantaine *f.* about sixty

soixante sixty

sol *m.* soil, ground

soleil *m.* sun

solennel, -le solemn(ly)

solitude *f.* solitude

solliciter to solicit

sombre gloomy, dark, dismal

somme *f.* sum (of money); **en —,** in a word, in short

songer (à) (= **faire des rêves, penser**) to dream, muse, think

songeu-r, -se thoughtful

sonner to sound, ring (for)

sort *m.* fate, lot, condition

sorte *f.* kind, sort, species; **de la —,** thus, in this way; **de telle — que** in such a way that

sortie *f.* exit

sortir (de) to go out, get out, leave, wander, come; get away (from); take out, bring out; **— en courant** run out; **en —,** find a way out

sou *m. five centimes*

souci *m.* care, worry

soudain (= **tout à coup**) suddenly

souffle *m.* breath, breathing, whisper

souffler to breathe, whisper; prompt

souffrir (**de**) to suffer; admit, permit

souhaiter to wish

soulier *m.* shoe

soumettre to submit

soumis, −e submissive, amenable

soupçonner to suspect

soupçonneu−x, −se suspicious

soupe *f.* soup (*containing a slice of bread*)

soupir *m.* sigh

soupirer to sigh

souple pliant, flexible, soft, yielding

source *f.* source, spring

sourcil *m.* eyebrow

souriant, −e smiling

sourire to smile

sourire *m.* smile

sous under

soutenir to hold up, sustain, uphold, support, bear

souterrain, −e subterranean, underground

souvenir: se — (de) to remember

souvenir *m.* remembrance, memory; **garder un bon —,** to keep a pleasant memory

souvent often

spécial, −e special

spécialiste *m.* specialist

spécialité *f.* specialty; **avoir la —,** to make a specialty

spectacle *m.* spectacle, theater, show

spéculation *f.* speculation, operations

sphérique spherical

splendide splendid

spontané, −e spontaneous

standing *m.* rank

studio *m.* studio

stupéfait, −e stupefied, amazed

stupéfiant, −e stupefying

stupeur *f.* stupor, astonishment, amazement

stupide stupid

stupidité *f.* stupidity

style *m.* style

stylo *m.* fountain pen

subit, −e sudden

succès *m.* success

sud *m.* south

suffire to be sufficient *or* enough, suffice

suffisamment sufficiently

suffoquer to suffocate, choke

suicider (**se**) to commit suicide

suisse Swiss

suite *f.* rest, others, continuation, series; **tout de —,** right away; **à la — de** following, as a result of; **avoir des —s** to go farther, have serious consequences

suivant, −e following

suivre to follow

sujet *m.* subject, cause, motive, ground; young man

supérieur, −e superior, upper

supplément *m.* supplement, extra

supplémentaire supplementary, extra

supplier to supplicate, pray, beseech

supporter to endure, bear, put up with

supposer to suppose, imply

suppression *f.* suppression, removal

sur on; **neuf fois — dix** nine times out of ten

sûr, –e sure; **bien —,** certainly, to be sure

sûrement surely

sûreté *f.* safety, surety

surface *f.* surface, appearance

surplus *m.* surplus, remainder

surprendre to surprise, ferret out

surpris, –e surprised

surtout above all, especially

surveillance *f.* inspection, supervision

surveiller to watch (over)

suspect, –e suspicious

sweater *m.* sweater

sympathie *f.* fellow feeling, liking

sympathique congenial, likable

symptôme *m.* symptom

système *m.* system

T

tableau *m.* blackboard; picture, scene; **— noir** blackboard

tache *f.* spot

tâche *f.* task

tâcher (de) to try

tailleur *m.* tailor

taire (à) to conceal *or* keep (from); **se —,** be silent

tandis que (= **pendant que**) whereas, while

tant (de) so much, so; **— mieux** so much the better; **— pis** what a pity, so much the worse; **— que** as long as

tante *f.* aunt

tantôt by and by, presently; a little while ago; **— ... —,** sometimes ... sometimes, now ... now

tapis *m.* carpet

tard late

tarder (à) to delay (in), be a long time (in)

tas *m.* pile

taxe *f.* tax

tel, –le (= **pareil**) such; **— que** such as

téléphone *m.* telephone

téléphoner to telephone (to)

tellement so; so much

témoignage *m.* testimony, evidence

témoigner to give evidence, prove, show; be a witness

temps *m.* time, day; **de — à autre** occasionally; **de — en —,** from time to time; **à —,** in time; **un —,** (after) a pause

tendre to stretch, hold out; strain

tendre tender

tenir to hold, keep; remain; **— à** be anxious to; **(être) tenu de** (be) required to; **il ne tient qu'à vous** it is up to you, it rests entirely with you; **me tient à (au) cœur** I hold dear *or* close, concerns me deeply; **tiens !** well, well ! **tenez !** look, listen; here it is

tenter to try, undertake, attempt; *see* **démarche**

tenue *f.* bearing, manner, get-up, deportment, dress; **frais de —,** clothing expenses

terme *m.* term; end, boundary

terminer to terminate, end, wind up; **se —,** end

terrain *m.* land, property, piece of ground

terrasse *f.* terrace, earthworks

terre *f.* earth, land(s), ground; **à —,** on the ground *or* floor; **par —,** on the ground

terrestre of the earth, earthly

terrible terrible

terroriser to terrify

tête *f.* head, appearance; *see* **drôle**

texte *m.* text; **cahier de —,** exercise book

thé *m.* tea

théâtre *m.* theater

théorie *f.* theory

timide timid

timidement timidly

tirer to draw, pull (out), drag; derive; **s'en —,** get along, get out of it

titre *m.* title, headline(s); **—s de rente** securities, bonds, certificates; **à quel —?** on what grounds *or* basis?

toilette *f.* toilet, clothes, dressing; **porter la —,** to wear clothes

tolérer to tolerate

tombe *f.* tomb

tomber to fall; **se laisser —,** drop; *see* **eau**

ton *m.* tone; **sur ce —,** in this tone

tort *m.* wrong; **avoir —,** to be wrong; **à —,** wrongly

tôt soon, early; **le plus — possible** as soon as possible

touchant, -e touching

toucher to touch, feel; move; collect, receive, cash

toujours always

tour *m.* turn, turning around; trick, feat; **faire le — de** to walk around, go around; **faire un —,** take a stroll

tourment *m.* torment

tourmenté, -e uneasy, worried

tourmenter to torment

tourner to turn; **se —,** turn (around)

tout, -e *adj.* all, whole, any, quite, every; **tous les jours** every day; **tous (les) deux** both

tout *adv.* quite, very, entirely; **— à coup** suddenly; **— à fait** completely, entirely; **— à l'heure** just now, a little while ago, in a little while; **à — à l'heure** I'll see you later; **— au plus** at the very most; **— de même** all (just) the same; **— de suite** right away

tout *pron.* everything; **(pas) du —,** not at all

toutefois indeed, however, nevertheless, still, yet

tracer to trace

tragédie *f.* tragedy

train *m.* pace, rate; train; **(être) en — de** (be) in the act of

traîner to drag, pull

trait *m.* shaft, arrow, dart, bolt; **— d'esprit** flash of wit; **d'un —,** without stopping; **— d'union** hyphen

traiter to handle, treat; **— de** call

tramway *m.* street car

tranquille calm, tranquil; **laisser —,** to let alone

transformer to transform, change
transporter to transport
travail *m.* work
travailler to work
travers: à —, across, through
traverser to cross
tremblant, -e trembling
trembler to tremble
trente thirty
très very
trésorier *m.* treasurer
tribunal *m.* court of justice
triomphal, -e triumphal
triomphant, -e triumphant
triste sad
tristement sadly
trois three
troisième third
tromper to deceive; **se —,** be mistaken
trompette *f.* trumpet
trop (de) too much; **être de —,** to intrude
troubler to disturb
trouver to find; **se —,** be
tuer to kill
Turc *m.* Turk

U

univers *m.* universe
user to wear (out); **en —,** act, behave
utile useful, worth while
utiliser to use, utilize

V

vacances *f. pl.* vacation
vaguement vaguely
vaillant, -e valiant
vain, -e vain; **en —,** in vain
valet *m.* valet

valeur *f.* value, worth
valoir to be worth; **il vaut mieux** it is better; **— la peine** be worth the trouble
vapeur *f.* vapor, steam
véhicule *m.* vehicle
veille *f.* night before, preceding day; night watch, keeping awake, staying up, watching
veiller (sur) to look (after); **— à** watch over, see to
velours *m.* velvet
vendre to sell
vénérable venerable
venir to come; **— de** have just; **en — à** drive at, come to; **faire —,** send for
venu, -e: le premier —, the first one that comes to hand
véritable true, real
vérité *f.* truth
verre *m.* glass
vers toward
verser to pour; pay, deposit
vert, -e green
vertical, -e vertical
vertu *f.* virtue
vêtement *m.* article of clothing
vêtir to dress
vêtu, -e (de) dressed (in)
vibrer to vibrate
vice *m.* vice
victime *f.* victim
vie *f.* life; **jamais de la —,** never, not on your life
vieillard *m.* old man
vieux, vieil, vieille old; **mon vieux** old fellow, " old man "
vif, vive lively, keen
vigoureusement vigorously
vigueur *f.* vigor
vilain, -e nasty, dirty, ugly mean

ville *f.* city; **en —,** in town

vin *m.* wine

vingt twenty

violation *f.* violation

violemment violently

violence *f.* violence

violent, –e violent(ly)

violet, –te violet

visage *m.* face, countenance; **faire bon — à** to behave in a friendly fashion toward, put a good face on

vis-à-vis (de) in relation (to)

viser to aim

visible evident

visiblement visibly, obviously

vision *f.* vision

visite *f.* visit

visiter to visit (*a place*)

vital, –e vital

vite (= **rapidement**) quick, quickly, fast

vitesse *f.* speed

vitre *f.* pane of glass

vitré, –e: porte —e glass door

vivement heartily, earnestly

vivre to live

voici here is

voie *f.* way, road; **en bonne —,** getting along well

voilà there, there is; **et —!** and that's that!

voir to see; **voyons!** come! let's see, of course (not)!

voisin, –e adjoining, next; *m.* neighbor

voiture *f.* automobile

voix *f.* voice; **à — basse** in a low voice *or* tone; **à haute —,** out loud; **à pleine —,** in a loud voice

vol *m.* theft

voler to steal

volonté *f.* will, good will, willingness; **de bonne —,** willingly

volontiers willingly

volume *m.* volume

vote *m.* vote

voter to vote

vouloir to wish, want; **— (bien)** be willing; **en — à** hold it against; **il veut dire** he means; **je voudrais** I should like; **que veux-tu!** what can you expect? **que voulez-vous!** I can't help it

voûté, –e vaulted; stooped

vrai, –e true, real

vraiment really, truly

vue *f.* sight, view; **en —,** in view

vulgaire vulgar

vulgarité *f.* vulgarity

Y

y there, in it, to it, at it, on it

yeux *pl. of* œil

Z

zèle *m.* zeal, ardor

zéro *m.* zero